BIBLIOTHEE⟨·BREDA
Wijkbibliotheek Haagse Beemden
Heksenakker 37
tel. 076 - 5417644

D0783576

DIEF VAN DE DUIVEL

BIBLIOTHEE<-BREDA
Wijkbibliotheek Haagse Beemden
Heksenakker 37
tel. 076 - 5417644

MIKAEL ENGSTRÖM

DIEF VAN DE DUIVEL

UIT HET ZWEEDS VERTAALD
DOOR BERNADETTE CUSTERS

VAN GOOR

De vertaler ontving voor dit boek een werkbeurs
van het Fonds voor de Letteren.

ISBN 90 00 03685 2
NUR 284
© 2006 Uitgeverij Van Goor
Unieboek BV, postbus 97, 3990 DB Houten

Oorspronkelijke titel *Satans Tjuv*
Oorspronkelijke uitgave Rabén & Sjögren Bokförlag, Sweden 2005
Text published by agreement with Pan Agency

www.van-goor.nl
www.unieboek.nl

© 2005 Mikael Engström
© 2006 Nederlandse vertaling Bernadette Custers
omslagontwerp en foto omslag Erwin van Wanrooy
model omslag Jacob Cleave
zetwerk binnenwerk Mat-Zet, Soest

Niets uit deze uitgave mag worden verveelvoudigd en/of openbaar gemaakt
door middel van druk, fotokopie, microfilm of op welke wijze ook, zonder
voorafgaande schriftelijke toestemming van de uitgever.

Het zou een regenachtige herfst worden.

1

Het was halftien 's avonds. Hij liep op de Zuidelijke Lang-straat. Het was donker, en er hing regen in de lucht. Hij bereik-te de Råsundaweg, sloeg bij de sigarenzaak de hoek om en liep langs de dierenwinkel. Hij bekeek de bushalte. Een prima plek. Een reclamezuil om achter te schuilen, en van daaruit een snelle route naar de Oosterweg.

Een groepje jongens kwam joelend uit de andere richting. Drie jongens met geschoren koppen en lompe schoenen, en één die er vrij normaal uitzag. Hij zette de kraag van zijn jas op, draaide zich om en fixeerde zijn blik op de etalage van de dierenwinkel. Een hamster rende in zijn rad. Hij hoorde wat de jongens zeiden.

'Schijt aan de bus. We gaan lopen.'

'Nee.'

'Verdomme, Håkan, je bent nog te jong. Je kunt echt niet met ons mee.'

'Wat nou, ik ben zestien!'

'Ja, dat is te jong. Ik heb geen zin om met mijn kleine broer-tje te komen aanzetten. Dat is belachelijk.'

'Verdomme, ik mag ook nooit...'

'Oprotten!'

De bus arriveerde en drie van de jongens stapten in. De vier-de liep in zijn eentje de Råsundaweg af.

De hamster in de etalage stond stil en kroop uit het rad om te zien of hij al ergens anders was. Hij snuffelde wat rond in zijn kooi, klom het rad weer in en holde verder. De bushalte lag er verlaten bij. Hij ging achter de reclamezuil staan wachten. Twee meisjes van een jaar of dertien, veertien liepen over de stoep. Ze bestudeerden de dienstregeling, praatten en lachten wat. Een van de twee stak een sigaret op.

Hij trok het masker over zijn hoofd. Het zicht was goed, hij had de gaten voor de ogen ruimer uitgesneden. Hij wilde wel zien, maar niet gezien wórden. Met een paar snelle stappen stond hij voor de meisjes. Ze vielen stil en staarden hem met grote ogen aan, dat alleen al was fantastisch. Toen deed hij zijn jas open. Hij had een stijve.

Het gegil. Daar kickte hij op, hij wilde meer, hij wilde...

De bus kwam.

Hij zette het op een rennen. Zijn lange jas wapperde. De trappen af naar de Oosterweg, en weg was hij.

Op de trap lag alleen een apenmasker.

2

'Weet je zeker dat het werkt?' vroeg Steppo.

'Shit ja, het is doodsimpel,' zei Dick. 'Het is chemie. Of biologie of zoiets. Suiker, gist, water, en dan feesten!'

De kelderlamp ging uit. Steppo zocht naar de rood oplichtende stip en drukte de knop in. De tl-buis aan het plafond knipperde weer aan. Er stond een jerrycan van twintig liter op de keldervloer. Dick hield hem voorzichtig scheef en vulde een beker.

'Je hebt ook wat fruit nodig, maar dat komt later wel. Misschien gaat het ook met sap.'

'Word je daar dronken van?'

Dick gaf geen antwoord. Hij nam een slok en slikte die met moeite door. Keek naar Steppo en zei:

'Wijn voor fijnproevers. Bijna klaar.'

'Ik geloof het niet,' zei Steppo. 'Zo simpel kan het niet zijn.'

'Jij gelooft ook niets. Verman je toch eens, verdomme, dit wordt echt keigaaf! Je kunt niet altijd en eeuwig depri zijn.'

Steppo schroefde de dop erop.

'Nee,' zei Dick, 'die moet los liggen, anders explodeert de jerrycan. Het spul is nog steeds aan het gisten. Wanneer het uitgegist is, is het klaar.'

Dick keek Steppo aan.

'Hoe voel je je?'

'Oké,' zei Steppo.

'Mis je hem?'

Steppo zei niets, keek afwezig.

'Sorry,' zei Dick. 'Stomme vraag. Maar ik mis mijn pa niet. Echt niet. Of... tja.'

'Hou op.'

Ze zetten de jerrycan in een kelderbox, sloten af en liepen naar school. Het was tien voor acht 's ochtends.

Het schoolgebouw was groot, geel en in een l-vorm gebouwd. Op het schoolplein stonden twee scheve palen met slaphangende basketbaldoelen en een stuk of wat vaste banken waar met messen in was gekerfd. Het gebouw had drie ingangen. Een grote met marmeren traptreden, en verder de kleine stiekeme-rokersentrees aan elk uiteinde van het gebouw. De school was uitgeleefd en zou over een jaar totaal gerenoveerd worden. 's Ochtends roken de lokalen en gangen sterk naar schoonmaakmiddel. De stenen vloeren met fossielpatronen lagen er dan glimmend bij. 's Middags rook het er naar zweet, aardbeienkauwgom, pruimtabak en sinaasappel.

Klas 2b van de Hagalundschool had godsdienst. De lerares heette Gun. Ze stond voor het bord en zei:

'Waarom bestaat de wereld? Hoe is die ontstaan? Hoe is de mens ontstaan? Wat is de taak van de mens? Wat gebeurt er na de dood? Zou het vanwege deze vragen zijn dat de religie de mens sinds mensenheugenis heeft vergezeld? Wat denken jullie?'

Steppo luisterde niet, hij keek uit het raam. Het was al oktober. De zomer was superwarm en droog geweest. Maar nu regende het, het goot. Het regende al dagen, grijs, nat. Windvlagen trokken aan de grote windwijzer bij het gymnastieklokaal. Achter het gymlokaal, op de heuvel, verhieven zich de blauwe huizen van Hagalund, acht enorme blokken van dertien verdiepingen naar de hemel. Hij zag de kerk. Die was lang vóór de flats gebouwd en lag er nu, verdwaald en helemaal fout, tussenin geklemd.

Hij dacht aan zijn vader. Probeerde zich te herinneren hoe hij eruitzag, zijn stem, zijn blik. Hij was nu een maand geleden begraven. Het was prachtig weer geweest. Familie en vrienden hadden in rouwkleding op het grindpad voor de grote eiken buitendeur gestaan. De esdoorns rondom de kerk stonden in een helgele en vuurrode gloed. Steppo had het gevoel gehad alsof hij stikte in zijn zwarte pak. Het was twee jaar oud en veel te klein. Het was gekocht voor zijn vormsel, toen was het te groot geweest. Dit was de tweede keer dat hij het droeg. Hij stond op het grindpad en was in de war. Het bloed pompte hard door zijn hersens – kedoenk, kedoenk. Niet één gedachte kwam in haar geheel aan, alleen verwarde stukjes. Hij kon niet begrijpen, hij kon niet geloven dat zijn vader in die kist lag. Het was gewoon een kist, een kist van hout. Hij wilde zich losrukken, naar voren stormen en het deksel openbreken. Hij was er zeker van dat de kist leeg was. Het was onmogelijk dat híj daarin lag. Hoe was dat gebeurd? Van de rest van de begrafenis wist hij niets meer, behalve dat iemand huilde. Hijzelf.

Steppo kon zich hem niet meer herinneren en dat verbaasde hem. Hij kon zich niet herinneren hoe hij sprak. Hoe hij zich bewoog. Niet zijn ogen, niet zijn geur. Nee, hij bestond niet. Juist op die plek in de hersens was het leeg. Alsof daar een stuk staal was binnengedrongen. Leeg, koud en glimmend.

Gun liet haar blik over de klas dwalen.

'Steppo?'

'Wat? Wablief?'

'Waarom denk je dat de mens behoefte heeft aan religie?'

'Ik weet het niet. Ik geloof nergens in.'

Gun keek hem vertwijfeld aan. Keek vervolgens weer de klas rond en stelde de vraag opnieuw:

'Waarom denk je dat de mens behoefte heeft aan religie? Eva, jij hebt vast een goed antwoord.'

Iedereen draaide zich om en staarde Eva aan. Ze kreeg een kleur en keek omlaag naar haar bank. Eva was de enige die helemaal alleen zat, links achter in de klas. Die plaats koos ze in elk lokaal. Alle anderen zaten twee aan twee. Sommigen zaten zelfs met z'n drieën. Maar Eva zat alleen, en dat deed ze al vier schooljaren lang. Ze was lelijk en helemaal fout. Ooit, in groep vier van de basisschool, had ze tijdens de les in haar broek geplast, de hele komvormige stoel onder geplast, zodat die overstroomde op de vloer. In die plas zat ze nog steeds, zou ze altijd blijven zitten. Zo was het bepaald, de klas hield haar daar, de plasamoebe. Ze was daar nodig, iemand moest de onderste plek innemen. Dat was even vanzelfsprekend als het feit dat Åsa B. de bovenste innam.

De pauzes bracht Eva door in de bibliotheek.

Ze gaf geen antwoord op Guns vraag.

Dick stak zijn hand op.

'De mens is lichtgelovig,' zei hij terwijl hij om zich heen keek, maar niemand lachte.

Håkan zat naast Steppo en las in een boek met een groene, zachte kaft. De tekening op de voorkant stelde soldaten in schuttersputten voor. De titel van het boek was geel: *Soldaat te velde*. Dit was zo'n beetje het enige boek dat hij las. Het opengeslagen hoofdstuk ging over strijd in bebouwd gebied. Het was het handboek voor oorlogsvoering van de Zweedse defensie.

Åsa B. stak haar hand op en zei:

'Zodat sommige mensen kunnen beslissen over anderen. Priesters en zo zeggen dat ze halfgoden zijn of zo, en iedereen moet tot ze bidden. En dan beslissen zij. Zonnegoden en Boeddha, zeg maar.'

'Ja, ja inderdaad,' zei Gun.

'Ik geloof in astrologie,' zei Tahsin die tussen Åsa B. en Helen in zat.

Steppo keek naar Tahsin. Ze was oké. Hij vond haar leuk, zelfs meer dan dat. Ze kwam uit Azië en was ongelooflijk mooi. Maar hij begreep niet dat ze omging met de her$e$loze Åsa B. en de kwaadaardige elf Helen.

'De sterren hebben schijt aan ons,' zei Dick.

'Aaahh, jij snapt er niets van,' zei Tahsin.

'Ik geloof in de Duivel,' zei Helen.

Dick barstte in lachen uit.

'Wat nou,' zei Helen. 'Kijk dan hoe het ís. Geen twijfel mogelijk over wie het heft in handen heeft!'

Helens huid was bleek. Haar zwarte haar en de zwarte lippenstift maakten haar gezicht vaalwit. Steppo keek naar haar, ze deed hem aan een levend lijk denken. Dat was waarschijnlijk ook wat ze wilde: onkwetsbaar, onbevreesd, eigenlijk al dood. Verzet. Het was waanzinnig belachelijk. Maar hij was bang voor haar. Helen kon het ene moment om iemands nek hangen om die het volgende moment diep in de ogen te kijken en lachend een rake klap te geven. Ze at drop. Zelfs haar tong was zwart.

'Ik geloof in ufo's,' zei Dembo.

'Ik geloof in...'

'Stop!' schreeuwde Gun. 'Beetje dimmen nu! Jullie hebben je bijna de hele les gedragen. Håkan, jij dan? Wat betekent het woord religie voor jou?'

Håkan keek op van zijn boek en glimlachte.

'Oorlog.'

De bel ging. Iedereen stond op. Stoelen en tafels werden heen en weer geschoven.

'Wacht,' zei Gun. 'Jullie krijgen je toetsen nog terug.'

Steppo was de enige die zijn proefwerk niet terugkreeg.

Het overblijflokaal was zo groot als twee schoollokalen, met ronde tafels en stoelen met stalen buizen, en tegen de wanden stonden onverwoestbare banken. De muziek denderde door de ruimte. Leerlingen gilden, lachten en zaten elkaar achterna. Sommigen probeerden een potje te kaarten of gewoon te praten, maar dat was eigenlijk onmogelijk.

'Zet eens zachter, verdomme!' schreeuwde iemand uit de derde.

Iemand draaide de volumeknop dichter, maar onmiddellijk zette iemand anders hem weer open.

'Stomme shitmuziek, zet zacht of zet iets goeds op.'

Maar niemand zette hem zachter.

'Hé, vuile homo, zet eens andere muziek op!'

Twee brugklassers raakten slaags en een paar anderen sprongen op een tafel. Een bank kiepte om. De oudere meiden liepen het overblijflokaal uit. Het was een complete chaos.

Tot De Cipier in de deuropening verscheen. Toen daalde de rust weer neer. Hij was opgeleid tot jongerenwerker en hield toezicht. Vroeger had hij in de gevangenis van Kronoberg gewerkt.

'Jullie horen in de dierentuin,' zei hij terwijl hij om zich heen keek. 'Allemaal. In de dierentuin.'

De Cipier had een kale kop, maar was daar eigenlijk te jong voor. Vijfentwintig jaar met een opgepoetste kersenpit en een expressieve neus. Hij was gehaat maar nodig op de school.

Steppo schudde de kaarten en deelde uit. Ze gingen een potje jokeren. Håkan kneedde stiekem een prop pruimtabak onder tafel, stopte die achter zijn lip, en pakte zijn kaarten.

'Hoezo wijn?'

'Wijn,' zei Dick.

'Mag ik meedoen?'

'Tuurlijk, we hebben twintig liter.'

'Het gaat niet werken,' zei Dembo.

'Waarom niet?' vroeg Dick. 'Wat weet jij nou helemaal van wijn?'

'Zo simpel kan het gewoon niet zijn, suiker, gist en water.'

'Zo simpel is het,' zei Dick. 'Het is chemie, of biologie of zoiets.'

Dembo geloofde er niet in.

'Nee, water en gewoon...'

'Hou je bek,' zei Håkan. 'Jij mag toch niet meedoen. Óf we worden dronken óf we worden niet dronken. Ga jij maar bananen bikken.'

Dembo legde zijn kaarten op tafel en liep weg.

'Stom van je,' zei Steppo.

'Wat nou,' zei Håkan lachend. 'Hij komt uit Afrika.'

'Alle mensen komen oorspronkelijk uit Afrika,' zei Dick. 'Dat heb ik ergens gelezen.'

'Ik niet,' zei Håkan, 'maar misschien jij wel.'

Håkan was blond, blauwogig, groot van stuk en twee jaar ouder dan de rest van zijn klas. Hij was pas op zijn achtste schoolrijp, en in groep vijf blijven zitten. Hij was knap, had zuivere trekken en zag er volwassen uit. Zou makkelijk de mooiste meisjes hebben kunnen krijgen als hij ze niet stelselmatig voor kutten, hoeren en stomme dikkonten uitmaakte.

'Dembo is oké,' zei Dick. 'Doet er niet toe waar hij vandaan komt.'

Dick was klein, had rood haar en sproeten, en leed aan chronische aanvallen van geilheid. Al dat afrukken bezorgde hem schuldgevoelens, hij had zelfs aan de schoolverpleegkundige gevraagd of er een medicijn bestond dat hem kon helpen. Dat bestond niet, en ze had hem verzekerd dat hij absoluut normaal was. Hij droomde vaak over Åsa B., en op de schaarse momenten dat hij dat niet deed, dacht hij aan gitaren.

Steppo raapte de kaarten bij elkaar en deelde ze opnieuw uit. De Cipier kreeg een derdeklasser in het oog die met een niet-aangestoken sigaret in haar mond zat. Hij pakte de sigaret af en doorzocht vervolgens al haar zakken, op zoek naar het hele pakje.

Steppo keek naar Tahsin aan de tafel ernaast. Ze legde de tarotkaarten voor Åsa B.

'Ik weet niet of het lukt,' zei Tahsin. 'De energie hierbinnen is zo negatief.'

'Probeer het nou,' zei Åsa B. 'Ik wil iets checken, iets met Fredrik. Of we zeg maar... ja, bij elkaar passen.'

Helen zat erbij alsof ze zich kapot verveelde, ze zoog op een dropje.

'Welke Fredrik?' vroeg ze.

'Die op het Vasalundgymnasium zit. We zijn hem laatst tegengekomen in de sporthal van Solna, jij was daar ook bij.'

'Ah, ja. Die.'

Tahsin zag dat Steppo naar haar keek. Hun ogen ontmoetten elkaar. Steppo werd weggezogen, kreeg een blikvernauwing en een duizelingwekkend luchtzakgevoel. Hij sloeg zijn blik neer en zij lachte even. Licht en blij. Geen gemene lach, maar...

Dick stootte Steppo aan.

'We zijn aan het spelen, man. Jij bent.'

Steppo gooide op goed geluk een kaart op en keek weer naar Tahsin. Ze zat gebogen over haar tarotkaarten. Hoe moest hij het aanpakken? Zou hij gewoon op de man af vragen of ze met hem wilde gaan? Of ze hem wilde? Hij zou het doen, maar nu niet. Vandaag niet. Morgen, misschien.

De Cipier was onmerkbaar achter Håkan gaan staan. Met één snelle beweging pakte hij Håkans haar beet, trok zijn hoofd naar achteren en drukte de pruimtabak achter zijn lip kapot.

'Eeeèèèllbbgggllllllrrr.'

De Cipier lachte en perste alles tot moes in Håkans mond.

Håkan spuugde en kwijlde. Hij stond zo heftig op dat de stoel omkiepte. Hij draaide zich om en je zag hoe hij De Cipier in gedachten een klap gaf, maar hij hield zich in. Håkan was mans genoeg om er iets spannends van te maken, maar winnen van De Cipier zou hem nooit lukken. Håkan liet zijn vuist zakken en schreeuwde:

'Je staat op mijn dodenlijst. Als ik, als ik... dan, verdomme. Shit, dan...'

Het werd doodstil in het overblijflokaal. Alles stond stil. Iedereen keek naar Håkan.

'Wat dan?' zei De Cipier kalm.

'Je bent dood. Dood, snap dat dan! Ik ga met mijn broer praten en... shit.'

Håkan liep weg. Gooide stoelen die in de weg stonden omver, botste tegen een paar brugklassers op, schopte de deur open, en was verdwenen.

Helen barstte in lachen uit.

3

Dat dit een biologielokaal was, kon niet missen. Tegen de lange wand stonden kasten met glazen deuren, met opgezette dieren erin, vooral vogels. Steppo haatte dode vogels. Levend waren ze mooi en geen probleem, maar dode vogels, daar kon hij niet tegen. Tijdens de biologielessen werd hij omringd door dode vogels. Van de grootste roofvogel tot de kleinste mees. Voor de grote roofvogels was in de kasten geen plek, die stonden bovenop stof te vangen.

Het allergrootst was de steenarend. Die zat met opgevouwen vleugels en had zijn ene oog verloren. Hij was zo groot dat hij meer deed denken aan een zittende herdershond dan aan een vogel. Rechts van de steenarend stond een havik met uitgeslagen vleugels op een tak. De merkwaardigste vogel was een oehoe met op horens lijkende verenpluimen op zijn voorhoofd.

Steppo had het gevoel dat die hem met zijn rood-gele ogen aanstaarde. En alleen hem, onvermoeibaar, elke biologieles weer, al sinds de brugklas. Hij staarde terug. Elke vogel was op een zwarte houten plaat gemonteerd. Daarop zat een kaartje met de Latijnse soortnaam en het jaar waarin ze waren opgezet. De zwarte meerkoet met zijn lange poten en witte vlek heette *Fulica atra* en die was in 1925 gestorven. De klauwier heette *Lanius collurio*, gestorven in 1956. De sneeuwhoen heette *Lagopus mutus*, gestorven in 1943. De oehoe met de horens op zijn voorhoofd heette *Bubo bubo*, gestorven in 1903. De vogels hadden grafstenen en waren oeroud.

Er waren ook een stuk of wat andere dieren, een egel en een eekhoorn. In een kast stond een kattenskelet dat met staaldraad was opgezet. Een paar ribben en een achterpoot ontbraken. Het lokaal was net een museum. Het rook ook naar museum, oud en bedompt. De dieren waren erg dood, op die ene uitzondering na: de oehoe. Die zag er levend uit. Steppo hield hem in de smiezen. Volkomen onverwacht kon hij zijn vleugels uitslaan en recht op hem af duiken, om hem vervolgens met zijn sterke klauwen de ogen uit te rukken.

De biologieleraar heette Bengt en hij was droog en pezig en als hij niet had bewogen, had hijzelf met een Latijns kaartje op de kast kunnen zitten. Bengts grootste interesse betrof vogels. Hij was van oorsprong ornitholoog. Al zijn vrije tijd reisde hij kriskras door Zweden om zeldzame vogels te spotten. De biologielessen gingen dus grotendeels over vogels. Seksuele voorlichting hadden ze nooit gehad en zouden ze ook nooit krijgen. Misschien kon Bengt nog net iets vertellen over eitjes en het uitbroeden van kuikens in de broedkast. Wie weet.

Håkan had het op een dag recht voor zijn raap gevraagd:

'Wanneer leren we eens iets over neuken?'

Onder luid gelach was hij eruit gestuurd. Helen had Bengt aangestaard en gezegd:

'Je hebt het nog nooit gedaan. Heel duidelijk. Dat zie je zo.'

Misschien had ze gelijk, maar ook zij vloog eruit.

De bel ging.

In de kantine rook het naar eten zoals het in een washok naar was rook. Je kon uit de lucht nooit opmaken wat er op tafel kwam. Het was gewoon een onbestemde, standaard etenslucht. Schooletenslucht.

In de kantine bestonden regels. Twee soorten. Het soort regels dat het personeel opstelde, en de regels die er echt toe deden, zoals nooit je bord onbewaakt achterlaten. Dick deed dat wel. Hij liep weg om een praatje te maken met Jocke uit 3c die twee tafels verderop zat. Håkan lachte naar de rest aan tafel, schraapte zijn keel en spuugde een klodder in Dicks eten.

Jocke was de held van de school. Hij had zijn eigen band, Devils Dog, met een repetitieruimte in de schuilkelder van de school. Jocke was lang, zijn smalle benen staken in een zwarte jeans en hij droeg een versleten leren jack. Devils Dog had afgelopen zomer in een rockwedstrijd in Skansen gespeeld en was twee minuten op tv geweest. Dat was te gek, niet normaal!

Steppo kon niet horen waar Jocke en Dick het over hadden. Jocke zat te eten en Dick hing over tafel te wiebelen en te leuteren. Jocke gebaarde dat hij weg moest gaan.

Dick kwam terug en at verder. Steppo's gezicht vertrok.

'Scoor ik ergens een gitaar, dan mag ik meedoen,' zei Dick.

'Word es wakker, joh,' zei Håkan.

'Jocke heeft het gezegd. Scoor ik een goeie gitaar, dan mag ik meedoen.'

'Dat was gewoon om van je af te zijn. Hij is dat geslijm van je spuugzat, heb je dat niet door?'

'Nee,' zei Dick.

'Denk je nou echt dat ze een roodharige sukkel met sproeten in hun punkie, zwarte rockband kunnen gebruiken? Denk je dat?'

'Maar ik ben goed,' zei Dick.

'Snotgoed hè?' zei Håkan lachend.

'We kunnen een eigen band beginnen,' zei Dick. 'Shit man, dat doen we. We gaan met De Cipier praten, dan mogen wij misschien ook wel in de schuilkelder.'

'Vergeet het maar,' zei Steppo.

'Wat ben jij toch negatief,' zei Dick. 'Je vader is dood, ja, en dat is hij nog duizenden jaren, ja, en dan zijn wij ook dood. Maar nu leven we, snap dat nou. Jij lijkt wel een levende dode.'

Dick stouwde zijn mond vol spaghetti, saus met gehakt en...

Steppo verloor zijn eetlust en schoof zijn bord van zich af. Dick kauwde en kletste maar door over instrumenten, muziek maken en een eigen band, maar Steppo luisterde niet, hij steunde zijn hoofd in zijn handen en keek naar de slingerende rij in de kantine. Eva was de laatste. Er kwamen een paar meiden uit de hogere klassen aan, die voordrongen.

Er zaten een hoop knappe meiden in de hogere klassen. Het waren vrouwen, overduidelijk. Stukken. Hij zou nooit iets tegen een van hen durven zeggen, durfde ze nauwelijks aan te kijken. Maar hier in de kantine, als ze in de rij stonden, kon hij dat rustig doen. Nu had hij alle tijd om ze uit te kleden, stuk voor stuk.

Er kwamen een paar klasgenoten aan die Eva ook passeerden. Toen kwam er een stel uit de parallelklas, dat ook voordrong. Eva kreeg een kleur en keek om zich heen. Ze schoot geen meter op. Het leek alsof ze zuchtte, maar ze hield haar hoofd gebogen.

Åsa B., Helen en Tahsin glipten de kantine in en wurmden zich ook langs Eva. Die gaf het op, liep de rij uit en verdween naar de schoolbibliotheek. Daarvan had ze een eigen sleutel, voor het geval de bibliotheek dicht was. De enkele keren dat ze het volhield en een bord eten wist te bemachtigen, ging ze apart zitten. Meestal was bijna iedereen dan al klaar met eten.

De laatste les van de dag was maatschappijleer. Ze waren nu bezig met misdaad en straf. Iedereen behalve Håkan had het boek *De samenleving vandaag*, 2^e uitgave, voor zich op zijn schoolbank. De leraar heette Nils Larsson en hij was nieuw, ze kregen pas sinds een paar weken les van hem. Tijdens de eerste les had hij gezegd:

'Noem mij maar Nisse.'

Het werd Nisse-Lasse.

Hij was lang en zag eruit als een Nisse-Lasse: rattenkleurig haar, grijze ogen en een gezicht dat je nooit echt kon onthouden. Het was moeilijk te raden hoe oud hij was. Maar hij was absoluut niet zo oud als iedereen dacht.

Nisse-Lasse begon deze les als volgt:

'Minstens tien van jullie zullen voor een misdaad worden veroordeeld. Minstens tien van jullie krijgen drugsproblemen. Minstens tien van jullie zullen een opleiding tot een fatsoenlijke baan niet afmaken.'

Steppo snapte het niet. Ze waren maar met zijn vijfentwintigen in de klas, en Nisse-Lasse had er al dertig opgesomd. Of bedoelde hij dat dezelfde tien aan al dat kwaad ten prooi zouden vallen? Hij vroeg het niet, dat deed Helen.

'Dertig? We zijn maar met vijfentwintig.'

'Daar mag je een poosje over prakkiseren,' antwoordde Nisse-Lasse. 'Of heb je een pedagoog nodig?'

Nisse-Lasse lachte breeduit. Niemand had verder nog vragen over de toekomst van de klas.

'Ga naar pagina negenentwintig, "Van misdaad tot gevolg". Eva, jij mag ons hardop voorlezen.'

Eva kreeg een rood hoofd, slikte en las hakkelend de tekst over de gerechtelijke machinerie van de samenleving voor. Oppakken – vooronderzoek – aanhouding – voortgezet vooronderzoek – inhechtenisneming – vervolging.

Sommigen zaten te zuchten en te kreunen bij de foutjes die Eva tijdens het voorlezen maakte, waardoor ze nog meer ging hakkelen en stamelen, tot de tranen tevoorschijn kwamen en ze stilviel. Dat Nisse-Lasse steevast Eva uitzocht was geen toeval. Voor haar bestond de grootste kwelling uit hardop voorlezen of voor de klas een verhaal vertellen. En dús koos Nisse-Lasse haar uit, hij scheen dat leuk te vinden, en hij had de klas en de rollenverdeling algauw door. Degenen die niet wilden opvallen, zich niet wilden uitsloven om zich geen gemene streken op de hals te halen, moesten dat tijdens Nisse-Lasses lessen bekopen.

'Ga door, Eva,' zei Nisse-Lasse.

Maar Eva staarde star naar haar bank.

'Heb jij een pedagoog nodig?' informeerde Nisse-Lasse.

Eva zei niets.

'Oké. Karl-Gunnar mag doorgaan.'

Karl-Gunnar, bijgenaamd KG, was Nisse-Lasses tweede keuze. Met KG hadden ze jarenlang geklierd, maar nu had iedereen alleen maar medelijden met hem. Zijn moeder kwam elke lunchpauze met een flesje Festis en een broodje naar het schoolplein, dat deed ze al sinds hij in groep drie zat. De rector had geprobeerd haar daarmee te laten ophouden.

KG las beter dan Eva. Het voorbeeld in het boek ging over Bosse, Claes en Anders. Ze hadden zin in een biertje en pleegden een tasjesroof. Slachtoffer was Siv, zestig jaar, ze viel en raakte gewond. Getuige Larri Leina zag alles en belde de politie. De politie vond Bosse, Anders en Claes binnen de kortste keren achter de school met een paar sixpacks bier die ze van Sivs geld hadden gekocht.

Terwijl KG voorlas, tekende Dick geslachtsorganen bij alle mannelijke personen in het boek. Håkan luisterde helemaal niet, maar las in *Soldaat te velde*. Nisse-Lasse sloop naar hem toe en rukte het boek onder zijn neus weg. Håkan staarde een paar seconden verbaasd naar de lege bank en ging toen helemaal door het lint, schreeuwde en tierde en trok het boek weer uit Nisse-Lasses handen.

De bel klonk.

Maatschappijleer was een supersaai vak en Nisse-Lasse had ook een plekje op Håkans dodenlijst veroverd. Die begon aardig lang te worden.

Ze stonden bij hun kasten hun spullen in te pakken. Dick trok zijn zwart kunstleren jack met nagels erop aan. Het stond ongelooflijk slecht bij zijn rode haar, en het materiaal leek totaal niet op leer.

'Gaat er nog iemand mee naar Hagströms?' informeerde Dick.

'Nee,' zei Steppo, 'ik moet boodschappen doen voor ma en schoonmaken, heb ik haar beloofd.'

4

Steppo woonde op de bovenste etage, in één van de dertien verdiepingen hoge, blauwe flats van Hagalund. Het uitzicht vanaf
zijn balkon was duizelingwekkend, je kon ver over de stad kijken, en tijdens hevige najaarsstormen kon hij voelen dat het
huis bewoog, een millimeter heen en weer zwaaide, misschien
was het minder, maar je voelde het. Als je gedoemd was in een
huis met dertien verdiepingen te wonen, moest je ook maar op
de dertiende wonen. Maar zijn moeder wilde verhuizen, ze
haatte Hagalund waar het eeuwig en altijd woei. Ze haatte alle
buren, alle allochtonen, iedereen die haar was uit de wasma-
chines in het washok jatte, iedereen die de muren bekladde, iedereen die in de liften pieste, iedereen die 's nachts herrie
maakte, iedereen die iets gapte uit de kelderboxen. Zo gauw ze
geld genoeg hadden, gingen ze verhuizen.

Ze zouden nooit geld genoeg hebben.

De lift stopte. Steppo stapte op de dertiende verdieping uit en
deed de deur open. Zijn moeder zat aan de keukentafel in de
catalogus van *Ellos* te bladeren. Steppo zette de boodschappen
in de koelkast en de voorraadkast. Ze was haar broze ik. Sinds
Görans dood kon ze heel snel wisselen van pantserplaat naar
kapot gewaaid zijdepapier. Ze slikte zware medicijnen.

'Is er niets op tv?' probeerde Steppo.

'Nee.'

Toen begon ze te huilen. De tranen vielen op de opengeslagen catalogus waardoor de dunne bladzijden gingen bubbelen. Steppo sloeg zijn arm om haar heen.

'Maar er is misschien toch wel íéts op tv?'

'Nee.'

Steppo zag dat de foto's op de opengeslagen pagina's plafondlampen toonden. Kristallen kroonluchters, honderden fonkelende prisma's in ingewikkelde constellaties.

'Ga je er zo een kopen?'

Ze veegde haar tranen weg.

'Wat vind jij, zal ik het doen?'

Ze keek naar Steppo. Hij haalde zijn schouders op en keek naar de prijzen.

'Duur.'

'Ik heb er altijd al zo een gewild. Voor de mooie kamer. Berit heeft er een en ik... Ach, waarom zou ik er ook zo een moeten hebben?'

'Natuurlijk moet je er ook zo een hebben,' zei Steppo.

'Vind je dat? Maar ik heb geen geld. Misschien op afbetaling? Of... nee.'

'Jawel, verdomme.'

Steppo pakte de stofzuiger en begon de flat te stofzuigen. Die was niet zo groot. Drie kamers en een keuken. Hij stofzuigde en dacht aan Tahsin. Dat ging vanzelf en het was echt leuk. Toen moest hij aan zijn moeder denken die daar aan de keukentafel zat. Dat was lang zo leuk niet.

Zijn moeder was met vervroegd pensioen en had last van pijnlijke gewrichten. Ze was over alles ontevreden. En ze dacht dat iedereen ook ontevreden was over háár. Ze was vooral ontevreden over zichzelf en over wat ze van het leven gemaakt had.

Golgotha.

Ze sleepte haar kruis, dat was zwaar, van zompig eikenhout. Toen Steppo nog klein was, troostte hij haar altijd met de belofte dat hij later dokter zou worden en haar zou genezen met een wondermedicijn dat hij zelf had uitgevonden.

Hij was lang geleden gestopt met zulke dingen te beloven. Als ze blij werd van een kristallen kroonluchter, was dat zonder meer oké. Hoewel het eigenlijk krankjorum was. Maar als zij blij was, ging het met hem ook beter.

Steppo maakte zijn schoonmaakklus af en ging naar zijn kamer. Die was heel sober. Een bureau en een stoel, een boekenplank vol stoffige bouwpakketmodellen, een paar auto's, maar vooral tanks en vliegtuigjes. Aan het plafond hingen al even stoffige bommenwerpers. Een Auro Lancaster MK II. Een Boeing B17 Super Fortress. Een B29 Super Fortress. Hij vond modellen bouwen leuk. Of in elk geval had hij het leuk gevonden. Het was inmiddels lang geleden dat hij er een gemaakt had. Maar zijn interesse in oude gevechtsvliegtuigen was groot en hij wist er veel van. Zijn favoriet was de Amerikaanse bommenwerper B29 Super Fortress, een zilverkleurige schoonheid. In zijn kamer hingen twee stuks aan het plafond. Eén op schaal 1:42 en één op schaal 1:72. Het ene was gebouwd als de Enola Gay, het vliegtuig dat de eerste atoombom liet vallen.

Op een plank stonden bekers en aan de muur daarachter hingen medailles. Die waren van zwemwedstrijden. Maar de kampioenschappen waarvoor hij geplaatst was, waren niet erg bijzonder.

In de hoek bij de balkondeur stonden een bundel werphengels en een doos met blinkers. Aan de muren hingen wat affiches met rockbands die al lang uit elkaar waren en niet meer op de radio te horen. Hij gaf niets meer om hun muziek, maar de affiches hingen daar bij gebrek aan iets anders. Of bij gebrek aan energie om ze te verwisselen.

Steppo viste de boeken uit zijn tas en ploeterde door scheikundezaken die hij niet begreep tot hij ze wel begreep. Daarna nam hij natuurkunde door, volgende week hadden ze een toets. De uren gingen voorbij en hij werd te moe om zijn Engels door te kijken. Hij liep naar de keuken en pakte een glas melk. Zijn moeder was naar bed gegaan. Op de keukentafel lag de catalogus, hij zag dat ze het bestelformulier had ingevuld. Wat kleren, lakens en een kristallen kroonluchter. Hij keek naar de foto in de catalogus.

De kristallen kroonluchter werkte elektrisch, maar had ook houders voor kaarsen. Hij had honderden geslepen prisma's, grote, kleine, ronde, langwerpige.

Hij ging naar bed, deed het licht uit en dacht aan Tahsin. Haar glanzende haar, haar ogen, haar zachte huid. Ze was het mooiste wat hij kon bedenken. Hij moest haar vragen. Hoe? Naar de film, of...

De rode cijfers op de wekkerradio stonden op 02:32 toen Steppo wakker werd. Hij had alweer die klotedroom gehad. Hij was kletsnat van het zweet, zijn lakens waren doorweekt. Het was een simpele droom. Simpel, maar onbegrijpelijk. Het was avond, het laatste licht. Hij stond voor de opening van een grot en keek in een diepe duisternis. Plotseling werd er een dode meeuw uit de grot gegooid. Een stralend witte meeuw. Er was iemand daarbinnen, en hij riep. Schreeuwde. En kreeg geen antwoord. Alleen maar duisternis.

5

Steppo versliep zich. Hij was zo laat voor school dat hij het rustig aan kon doen. Het schoolplein was leeg op Gunnar na, die op een van de met messen bewerkte banken zat. Gunnar was vijfentwintig en had de Hagalundschool tien jaar geleden verlaten. Maar hij hing vaak rond op het schoolplein. Alsof hij iets vergeten was. Soms doolde hij door de gangen tot De Cipier hem eruit joeg. In zijn laatste jaar was hij, op weg naar school, aangereden door de bus, lijn 509. Hij overleefde, maar het was niet goed afgelopen.

'Hoi,' zei Steppo.

Gunnar keek op.

'Hoi.'

Zijn gezicht zat stijf in de plooi en hij praatte zonder zijn mond te bewegen. Alleen zijn tong maalde door zijn mondholte. Het speeksel vloog in het rond en hij was moeilijk verstaanbaar. Hij droeg een bril met dikke glazen en had een blonde, onverzorgde baard. Iedereen wist wie Gunnar was. Hij zwierf door Solna met vastberaden, militaire stappen, doelloos maar resoluut. Gunnar droeg een lange, smerige jas, een oude gabardine broek en een paar versleten gympen.

'Alles goed?'

Gunnar knikte. Hij verkruimelde een droog broodje en liet de stukjes in zijn jaszak glijden. Steppo nam de trap en bedacht dat als je je depri voelde en alles shit was, je jezelf altijd nog kon vergelijken met Gunnar, dan ging het meteen een stuk beter.

Håkan stond in zijn kast te rommelen.

'Wat hebben we nu?' vroeg Steppo.

'Wiskunde.'

In Håkans kast heerste strikte orde. Alles lag er keurig netjes bij. In zijn kast was geen spoor van privézaken te bekennen. De Cipier had beslist voor hem gesalueerd en hem een onderscheiding gegeven als hij het wist.

'Hoe speel je dat klaar? Mijn kast is de ondergang van de wereld.'

Håkan grijnsde.

'Heel eenvoudig. Ik heb nog een kast. Meer privé. Kom maar kijken.'

Håkan nam Steppo mee naar beneden, naar een andere gang. Hij stak de sleutel in een kastslot en draaide het open. In de kast lagen een stapel wapentijdschriften, twee sloffen sigaretten en een bajonet.

'Shit man,' zei Steppo en hij greep de bajonet.

'Hier zijn condooms. Die verkoop ik, want die sukkels durven ze zelf niet te kopen. Voor de driedubbele prijs, dat tikt lekker aan.'

De bajonet was zwaar, Steppo legde hem weer terug.

Håkan liet lachend een paar pornoblaadjes zien.

'Hier, ruknieuws. Zeg 't maar als je wat wilt lenen. Je kunt ze ook kopen. Dit zijn nog ongebruikte blaadjes. De andere stapel is tegen vergoeding tijdelijk te leen.'

Er doken een paar leraren op in de gang. Håkan deed zijn privékast weer op slot.

'Wil jij ook een extra kast? Voor het geval De Cipier weer eens een bevlieging krijgt en gaat controleren. Ik kan wel sleutels scoren. De bewaking heeft toch niks in de smiezen.'

'Nee, ik hoef geen extra kast.'

Gun, die ze voor godsdienst hadden, gebaarde Steppo dat hij moest komen.

'Wat is er?'

'Ja, weet je, de rector wil met je praten.'

'Nu? We hebben wiskunde, wat wil hij dan?'

'Ga naar zijn kantoor wanneer je tijd hebt. Doe het anders na school. De rector is er tot vier uur en het is belangrijk.'

'Waar gaat het om?'

'Nou, wij, dat wil zeggen verschillende leraren... wat zal ik zeggen... je hoort het wel van de rector.'

'Oké,' zei Steppo.

Wiskunde in lokaal 13.

Ze hadden een invalkracht. Niet dezelfde als vorige week, deze was gloednieuw. Sinds het semester was begonnen hadden ze al vijf verschillende invallers gehad, en deze kon niet uitleggen, niemand begreep wat hij zei. Hij was jong, blond, blauwogig en lang.

Sommigen zaten te rekenen, anderen deden alsof, en Dick was de wanhoop nabij.

'Ik snap er niets van.'

De vervanger had geen tijd voor hem, hij hielp Åsa B. Dick las de som nog een keer door en raakte in paniek:

Anna's bad loopt in 16 minuten vol. Dan zit er 240 liter water in de badkuip. Het bad kan dan in 20 minuten leeglopen. Op een dag vergat Anna de stop in het bad te doen toen ze de kraan openzette. Hoelang duurde het tot de badkuip vol was?

Dick werd door duizeligheid overmand en zijn hoofd tolde. Hij deed verwoede pogingen, dacht na, las en kliederde op zijn papier. Elke hersencel vibreerde, werd rood, oververhit, maar hij kon er niet achter komen. Wist niet waar hij moest beginnen. Vatte het wiskundeprobleem persoonlijk op. Het was geschreven om uitgerekend met hém in de clinch te raken. In het antwoordenboekje stond alleen het antwoord, en daar had je natuurlijk niets aan. Dick zwaaide met zijn hand door de lucht, maar de invaller was in de ban van Åsa B. Hij stond met zijn hand op haar schouder en Åsa B. vroeg of hij op haar feest wilde komen. De invaller begon te lachen.

Dick had het ineens helemaal gehad met school en sloeg de som over.

Dick wilde musicus worden.

Scheikunde in lokaal 7.

De leraar die Ernst heette schreef op het bord: ZOUTEN, draaide zich om naar de klas en zei:

'Zouten vormen een grote groep stoffen die je met behulp van zuren kunt produceren. We gaan drie methodes bestuderen en beginnen met neutralisatie. Jullie gaan twee aan twee proeven doen en leveren daarna een practicumverslag in bij mij.'

Steppo zat uit het raam te kijken. Hij was moe. De wind trok aan de grote windwijzer bij het gymlokaal. Gunnar zat nog steeds op de bank.

'Steppo,' schreeuwde de leraar. 'Jullie moeten aan het werk. Kom hier materialen halen.'

'Hè wat?'

'Jullie gaan in groepjes werken, twee aan twee.'

Steppo keek om zich heen, iedereen zat al in groepjes.

'Kom op, we hebben niet de hele dag de tijd. Jij en Eva zijn nog over.'

Håkan barstte in lachen uit en anderen zaten te giechelen. Steppo raakte in een soort crisis. Moest hij met de plasamoebe werken? Hoe had dat verdomme kunnen gebeuren?

'Dat weiger ik,' zei Steppo.

'Hou op nu,' zei Ernst. 'Kom hier en haal je spullen.'

'Ik haat groepswerk. Ik kan het gewoon niet, kan niet in een groep werken.'

'Donder op, doe wat ik zeg.'

Steppo keek gestrest het lokaal rond. Iedereen keek naar hem behalve Eva, ze staarde naar haar bank.

'Schiet op.'

'Nee.'

Ernst dacht even na en zei toen:

'Is er iemand die wil ruilen? Is er iemand anders die met Eva wil werken? Een van de meiden misschien?'

Het was stil. Åsa B. sloeg haar ogen ten hemel. Tahsin slaakte een zucht.

'Een van de jongens?'

Gelach.

'Maar wat is dit nu? Ze is toch een lieve, aardige meid?'

'Plasamoebe,' zei iemand.

Ernst ontplofte bijna, sloeg met beide vuisten op de tafel zodat de reageerbuizen en glazen kolven omhoog sprongen.

'Wie zei dat?'

Eva begon te huilen. Maar niet zó dat iemand het zag. Ze had geleerd om zo te huilen dat niemand het merkte. Ze kreeg een rood hoofd, haar wangen trilden. Dat was alles, ze richtte het naar binnen.

Steppo pakte zijn boeken en liep het lokaal uit.

De kantine was nog leeg. Steppo was de eerste. Hij nam een dienblad, bord en bestek. Er was gegratineerde visschotel. Hij zat in zijn eentje aan tafel te eten. Wat had hij verdomme gedaan? Oh, wat een stomme zet. Maar Eva en hij, zo grappig was dat niet. Was hij laf? Zou hij gewoon hebben moeten zeggen: ja natuurlijk, Eva en ik maken er een superpracticum van, ik heb er altijd al van gedroomd om...

Shit.

Steppo at de visschotel met lange tanden. Er druppelden leerlingen binnen, algauw stond er een lange rij. Håkan en Dick kwamen bij hem zitten.

'Niks geen experimentjes met zouten,' zei Håkan, 'we hebben de hele les over pesten moeten praten. Jij bent nu de grote pestkop van de klas, en Eva gaat nu vast door een hel. Ernst gaat op school met de werkgroep pesten aan de gang om Eva's situatie in de klas verder uit te zoeken. Zo zei hij het: Eva's situatie in de klas.'

'We kunnen de plasamoebe maar beter met rust laten,' zei Dick.

'Hou op,' zei Steppo. 'Ik wil er niets meer over horen.'

Dick was zijn melk vergeten, liep weg en liet zijn bord onbeheerd achter. Håkan rochelde en spuugde dwangmatig in Dicks gegratineerde vis.

'Verdomme,' zei Steppo. 'Je zou je eens moeten laten nakijken, man.'

'Ach, wat niet weet wat niet deert.'

'Hoe gaat het met jou dan?'

'Goed,' zei Håkan.

Dick was bij Jockes tafel blijven plakken. Hij praatte en speelde op een luchtgitaar voor de held van de school, showde akkoorden. Steppo ondersteunde zijn hoofd met zijn hand en keek naar de rij in de kantine. Probeerde een mooie derdeklasser te vinden, maar zag alleen Eva, en Åsa B. en Helen die zich langs haar wurmden.

Hij stond op, zette zijn dienblad bij de vuile vaat en liep weg.

Steppo klopte bij de rector aan en opende de deur voordat iemand antwoord gaf. De rector zat achter zijn tafel met de schoolverpleegster te praten.

'Hallo, kun je zolang buiten wachten? We zijn bijna klaar.'

Steppo knikte, trok de deur weer dicht en leunde tegen een paar hoge metalen kasten. De deur van de rectorkamer gleed weer open en hij hoorde waar ze over praatten.

'Een aap was het, of meer King Kong. Natuurlijk is dat volgens de politie een waardeloos signalement. En de meisjes zijn er erg slecht aan toe.'

Dat was de stem van de schoolverpleegster.

'Hebben ze echt niets anders gezien? Iets op de handen? Een tatoeage, een litteken?'

Dat was de stem van de rector.

'Nee, we hebben lang met ze gepraat en de politie heeft meerdere gesprekken met ze gevoerd. Niets anders dan dat hij een stijve had. Een scheve stijve.'

'Een scheve stijve?'

Steppo leunde naar de deur, maar méér kon hij van het gesprek niet horen. De Cipier kwam eraan.

'Sta je hier stiekem te luisteren?'

De Cipier trok de deur van de rectorkamer weer dicht en verzocht Steppo opzij te gaan, want het was zíjn kast waar hij tegenaan leunde. De Cipier maakte zijn kast open. De bovenste plank lag bezaaid met geopende pakjes sigaretten. De Cipier pakte er een, deed de kast weer op slot en verdween in de lerarenkamer.

Steppo probeerde door de gesloten deur nog iets op te vangen. Dat ging niet, alleen maar gemompel.

King Kong met een scheve stijve?

De rector en de schoolverpleegster kwamen naar buiten.

'Ga maar vast naar binnen, ik kom zo, ik moet even iets regelen.'

De kamer was groot en anders dan de rest van de school. Er stonden bankstellen van zwart leer rond een glazen tafel met een fruitschaal erop. Hier hing een thuisgevoel. De rest van de school bestond uit onverwoestbare meubels van oranje of bruin plastic met verchroomde metalen buizen, maar de rector had echte meubels en vloerbedekking. Steppo reikte over het bureau naar het fruit, maar dat was nep, alleen voor de sier.

In een glazen kast stond een verzameling bekers en prijzen van schoolkampioenschappen in verschillende sporten. Eén van die prijzen was van Steppo. Bij de schoolkampioenschappen van Stockholm had hij de tweehonderd meter vrije slag gewonnen. Dat voelde als een eeuwigheid geleden. Hij probeerde de stoel van de rector uit, die zat comfortabel, je kon erin wippen. Op het bureau stond een foto van zijn gezin. Zijn vrouw glimlachte en de twee kinderen lachten, een tweeling. Steppo draaide met stoel en al rond en keek naar het schilderij aan de muur. Het was het enige schilderij dat aan de wand hing, maar het was voldoende. Het was een olieverfschilderij van een meisje dat op blote voeten en met rechte rug tussen berken, leverbloempjes en vlinders liep. Ze had een ongelooflijk rode rok aan, verder niets. Haar bovenlichaam was bloot, de huid licht, de zachte borsten hadden tepels die net zo rood waren als haar rok. Ze had haar ogen dicht en haar blonde haar in een dikke vlecht. Op haar hoofd droeg ze een rode kroon. Misschien waren haar voeten wat aan de grote kant.

'Birger Ljungquist,' zei de rector.

Steppo schrok op. Stond snel op en liep achteruit van het bureau weg.

'Ja, mooi is die, hè?' zei de rector. 'Birger Ljungquist schilderde vooral jonge, ontroerende, wat verlegen meisjes in een Zweeds zomerlandschap.'

'Ja ja.'

'Ga maar in de fauteuil zitten. Ik zeg Stefan tegen je, Steppo vind ik meer een hondennaam.'

De rector keek hem aan, ging achter zijn bureau zitten en wipte naar achteren in zijn stoel. Hij vouwde zijn handen over zijn dikke buik. Ze waren een poosje stil. De rector had vriendelijke ogen en hondachtige hangwangen.

'Je gaat het zwemmen niet opnieuw oppakken?'

'Nee.'

'Heeft de club niets van zich laten horen? Je was immers goed.'

'Moest ik hiervoor komen?'

'Nee.'

De rector trok een bureaula open en legde een paar papieren voor zich op tafel.

'Je moet je schoolwerk niet verwaarlozen. Je hebt een goed stel hersens en...'

'En?'

'Sommige leraren maken zich zorgen over je. Op zich zijn er veel, heel veel leerlingen op deze school over wiens toekomst je ongerust kunt zijn, maar jij bent altijd goed geweest. Op dit moment heb je het zwaar, dus ga de boel nu niet verwaarlozen.'

'Alles is oké,' zei Steppo terwijl hij aan de siervruchten in de schaal plukte.

De rector zette zijn bril op en keek in de papieren.

'Hier heb ik je toets godsdienst, en het enige wat je hebt opgeschreven is: "Alle houten goden hebben grote geslachtsorganen." Dat was niet het antwoord op een vraag.'

Steppo friemelde aan een siervrucht, die viel op de grond en rolde weg.

'Verder vertelde Ernst me zojuist wat er bij scheikunde gebeurd is. Wat was dat nou weer?'

'Aahh, ik haat groepswerk.'

'Hoe gaat het met je?'

'Ik red me best.'

'Hoe is het thuis?'

'Ma is een beetje instabiel. Maar...'

'Ik heb je vader gekend.'

'Weet ik.'

De rector zweeg even. Hij trok een bezorgd gezicht.

'Ik kan je aan een psycholoog helpen.'

'Nee. Dat wil ik niet.'

De rector stond op, liep naar het raam en keek naar buiten. Het schoolplein was leeg, op Gunnar na die op een bank zat.

'Vraag me af wat er in zijn hoofd is gebeurd,' zei de rector. 'Hij zat in het laatste jaar toen ik hier op school begon. Ik herinner me nog dat hij een goeie leerling was. Maar toen is er iets gebeurd.'

'Hij werd aangereden door lijn 509.'

'Oh ja, dat was het. Hè gad!'

'Mag ik nu gaan?'

'Ja. Maar verwaarloos de boel nu niet.'

Steppo stond op, liep naar de deur, bleef staan en draaide zich om om iets te zeggen. Hij deed zijn mond open, maar aarzelde.

'Wou je nog wat zeggen?'

'King Kong met een scheve stijve?'

De rector keek naar het plafond, slaakte een diepe zucht en zei:

'Ja, er loopt kennelijk een idioot rond in Solna. Maar de politie werkt eraan. Meer kan ik niet zeggen.'

6

In Dicks hoofd hadden ze een band. Dat ze zonder instrumenten en repetitieruimte zaten en muzikale vaardigheden misten, mocht de pret niet drukken. Ze hadden een band. Een ruige, levensgevaarlijke, gore rockband.

'*Hey ho let's go*,' schreeuwde hij, spelend op zijn luchtgitaar. Dick had ook een paar nummers geschreven. Teksten in het Engels. Ze gingen allemaal over zijn liefde voor Åsa B. Maar haar naam werd nergens genoemd. Dat zou belachelijk zijn geweest, en trouwens, de letter Å bestond niet in het Engelse alfabet. Er was nauwelijks een Zweedse meisjesnaam die je in een Engelse tekst kon gebruiken. De meiden in zijn nummers kregen de namen Sue, Rose, Nancy of Laura. Maar ze waren stuk voor stuk Åsa B.

Ze gingen met de metro naar de stad. Steppo keek door het raam tegen de rotswand aan, en volgde de golfbeweging van de kabels. Håkan stond in *Soldaat te velde* te lezen. Dembo schreef in vette letters 'Dembo' op de wand.

'Moet je horen,' zei Håkan en hij las hardop: '*Wanneer je niet kunt schieten en geen handgranaten kunt gebruiken, moet je vertrouwen op bijl, schop, bajonet, mes of wurgkoord. Onverschrokken koelbloedige mannen kunnen met deze strijdmiddelen grote resultaten bereiken. Bovendien kun je de vijand hiermee geluidloos uitschakelen, hetgeen vaak noodzaak is.*'

Ze stapten uit bij het centrale metrostation van Stockholm en zouden naar de Koninginnestraat en Hagströms muziekwinkel gaan. Behalve Dick was niemand echt geïnteresseerd, maar Dick wilde maar al te graag hun belangstelling wekken.

'Ik kan niet spelen,' zei Steppo. 'Totaal onmuzikaal.'

'Ja maar, íéts toch wel,' zei Dick.

'Nee.'

Dick draaide zich om naar Håkan.

'Op de drums. Håkan. Hé, jij zou het als drummer best goed doen.'

'Schiet op,' zei Steppo. 'Instrumenten, repetitieruimte, en dan pas leren spelen?'

'Ik kan spelen,' zei Dick.

Ze liepen de Koninginnestraat af en kwamen bij Hagströms. Håkans blik werd gevangen door de etalage van Buttericks, de fopartikelenwinkel die pal naast de muziekwinkel lag. Hij droomde er niet van een rockster te worden, hij was op weg naar iets heel anders. Håkan liet zijn blik door de etalage dwalen. Er stonden draculatanden, afgehouwen rubberhanden, een miniguillotine, scheetkussentjes, gummiskeletten, kostuums, en griezelmaskers van rubber: van Dracula, aliens, mummies en een harige aap.

De anderen liepen de muziekwinkel binnen.

De wanden hingen vol gitaren. Aan de ene muur de akoestische en aan de andere de elektrische. Er waren zwarte, witte, goudkleurige, rode en waanzinnig mooie. Van Fender, Gibson, Ibanez, Yamaha. Op de vloer stonden drumstellen, sommige in elkaar gezet en bespeelbaar, andere opgestapeld met de pauken tot aan het plafond. Alleen al van de geur werd Dick gelukkig. De geur van instrumenten, zijn droom die hij kon proeven. Hij wilde een Fender Stratocaster. Een echte, geen klote Ibanez-kopie. Geen Gibson, geen Telecaster. Nee, de blauwe

Strato zou de zijne worden. Die hing daar op hem te wachten.

De jongen die in de winkel werkte, heette Silver. Hij had zwart, lang haar, zijn ogen opgemaakt met mascara, een zwart T-shirt met afgeknipte mouwen en vingers vol zilveren ringen. Hij was muziektijdschriften in een tijdschriftenmolen aan het zetten en keek verstoord naar de snotapen die binnenkwamen.

Dembo ging achter een drumstel zitten en sloeg zo uit de maat dat iedereen in de winkel hem kwaad aankeek. Dembo lachte en drumde onverstoorbaar verder tot Silver brulde dat hij moest ophouden of oprotten.

Dick liet Steppo de blauwe elektrische gitaar zien.

'Prachtig is ze, hè? Het is een zij.'

'Wat?'

'Gitaren zijn vrouwen. De rode is ook mooi, maar ik moet de blauwe hebben.'

Dick draaide zich om naar Silver.

'Mag ik die uitproberen?'

'Ga je die kopen?'

'Ja.'

'Nu?'

'Nee, later. Maar ik wil...'

'Vergeet het maar. Als ik voor elke stumper gitaren van de muur moest halen en inpluggen, zou ik nergens anders meer aan toekomen. Neem poen mee, dan is het oké, maar jij doet niets anders dan je aan die dingen vergapen.'

'Die poen die regel ik wel,' zei Dick. 'Kun je de gitaar nog een poosje voor me vasthouden, één of twee weken of zo?'

Silver antwoordde met een gemene grijns en schudde zijn hoofd. De telefoon ging en Silver nam op. Dick rekte zich uit en betastte de gitaar.

Steppo keek hem aan, hij was jaloers. Dick had een droom, geloofde ergens in. Hetzelfde gold voor Dembo, die had zijn voetbal. Hij was de beste van FC Hagalund, en AIK probeerde hem al binnen te halen. Stel je voor: de grootste voetbalclub van Zweden! Håkan koesterde zijn zieke wens om huursoldaat te worden of wat het dan ook was. Maar het was in elk geval een beeld van een toekomst. Steppo voelde zich helemaal leeg als hij aan zichzelf dacht, aan wie hij was, en waar hij naartoe moest. Hij zag niets, en de muziekwinkel liet hem koud. Voor Dick was het een kerk.

De deur van de muziekwinkel vloog met een hoop kabaal en gelach open. Het was Jocke met zijn Devils Dog, die bestond uit Berntan op drums en Thomas op bas. Jocke was de gitaarster en zanger van de band. Ze droegen allemaal zwarte leren jacks met knopen en nagels en zwarte spijkerbroeken.

Jocke praatte met Silver, hij had een paar gitaarmicrofoons opnieuw laten intapen. Silver haalde ze tevoorschijn, en verder zocht Jocke nog een buis voor een oude versterker die hij had gekregen. Berntan stond verschillende trommelstokken in zijn handen te wegen, sloeg ermee in de lucht.

Dick voelde de moed zakken. Hij keek omhoog naar de blauwe Stratocaster aan de wand. Jocke stond plotseling achter hem.

'Is 'm dat? Ga je die kopen?'

'Ja.'

'Nu?'

'Bijna.'

'Kom in onze schuilkelder als je hem hebt, dan gaan we hem uitproberen.'

Steppo stompte Dick tegen zijn arm.

'Wat kost die?'

'Vijfenhalfduizend kronen.'

'Jep! Zo een moet je eigenlijk hebben. Zelf speel ik altijd op een klote HongKong-plank. Maar de microfoons zijn nu in elk geval weer oké.'

'Ja ja.'

'Wat heb jij trouwens voor lullig jack aan?' zei Jocke terwijl hij aan het materiaal voelde.

'Kunstleer.'

'Ziet eruit als plastic.'

Bij Buttericks kon je alles vinden wat je niet nodig had, maar leuk was het wel. Op de benedenverdieping had je manden met stinkbommetjes, levensechte slangen van rubber, hondendrollen, nepkots, suikerklontjes waarvan de koffie ondrinkbaar werd en karamels die zo smerig waren dat je ervan over je nek ging. Aan de muur hing iets wat een röntgenbril moest voorstellen. Håkan probeerde hem uit en keek naar het meisje bij de kassa om te checken of hij haar borsten kon zien, maar alles werd alleen maar een eigenaardige, groenblauwe waas. Hij hing de bril terug, nam een zakje walgkaramels en stopte het in zijn zak. Håkan spiedde om zich heen. Pakte een gummiskelet en frommelde dat in zijn andere zak. Het waren toch maar prullen, hij jatte ze puur voor de spanning bij het passeren van de kassa. Zou hij nog iets anders pakken?

Hij liep een paar rondjes en plukte aan verschillende spullen. Kwam bij de glazen kast waarin de echt dure maskerademaskers lagen. Je reinste gruwelkamer. De huid van rubber en het haar waren net echt. Er lagen duivels en zombies, en een heks, maar die was goedkoop. Het best was Frankenstein. Sommige maskers kostten meer dan vijfhonderd kronen. De kast zat op slot. Håkan peuterde aan het slot om te zien of hij de glazen deur kon openmaken. Gebruikte zijn sleutelbos als gereedschap. Maar het ging niet. Hij draaide zich om en botste tegen een man op die pal achter hem stond. Håkan keek verbaasd op.

'Hé, hallo,' zei hij.

'Ah, jij ook hier...'

Iemand van het winkelpersoneel kwam de gruwelkast openmaken. De man pakte een van de maskers.

'Ja, weet je, ik ga naar een gemaskerd bal. Misschien een beetje belachelijk, maar...'

'Ach ja,' zei Håkan en hij liep achteruit weg.

De metro schokte en slingerde door de grotten terug naar Solna. Dick las in een muziektijdschrift dat hij had gekocht. Steppo keek door het raam naar buiten. Volgde de golven van de leidingen en dacht aan Tahsin.

Hij probeerde een naaktfoto van haar in zijn hoofd te maken. Dat lukte niet zo best. Hij had alleen aangeklede informatie tot zijn beschikking. Hij had een aardig idee van de heupbreedte en de maat borsten. Maar de tepels? Waren die groot of klein? En de tepelhoven? Die konden zo klein zijn als een munt van een kroon, maar ook zo groot als een fietsbel. Verder was het moeilijk om alle proporties tegelijk in je hoofd te houden. De lengte van haar benen, en haar bovenlijf – was dat lang of kort? Hij dacht een poosje aan haar struikgewas. Was het haar zacht als van een kat of meer van dat krullerige, stugge? Hij koos voor kattenhaar.

'Iemand zin in een karamel?' Håkan hield de anderen de zak voor.

'Ja,' zei Dembo, hij nam er een en stopte hem in zijn mond.

Zuigend liet hij de karamel door zijn mond rollen, tot hij ineens verstijfde en Håkan met grote schrikogen aankeek. Hij vloog overeind en was het volgende moment bij de paal tussen de deuren. Die greep hij vast, spugend, hoestend en rochelend.

'Ik moet kotsen.'

Håkan klapte dubbel van de lach op zijn stoel. Alle medepassagiers keken vol afschuw naar Dembo.

De metro stopte in Solna Centrum, het station met de groene, met sparren beschilderde muren en het zonsondergangrode plafond. De deuren gingen open, ze stapten uit en namen de roltrap naar het Råsundastadion.

'Gaan we naar Charlies?'

'Ik moet naar training,' zei Dembo.

De anderen vertrokken naar Charlies.

7

Op de buitenkant van de etalageruit stond met witte letters in een boog: CHARLIES CAFÉ. De ruiten waren smerig van al het verkeer, de bushalte lag direct voor het café. Er stonden wat stoffige plastic planten in de vensterbanken.

Er waren niet veel mensen in het café. Åsa B., Helen en Tahsin zaten om een tafel, verdiept in Tahsins tarotkaarten. Gunnar zat aan een tafel in de hoek een broodje te verkruimelen. De Koerd-neven waren aan het flipperen, het balletje rolde, het scorebord ratelde. Charlie stond op een krukje te schilderen. De muren van het café werden één groot schilderij, een landschap bij zonsondergang: golvende heuvels, meren en baaien. Hier en daar lag een dorpje. Een paar vissers in een boot trokken hun netten uit het water.

Steppo haalde een blikje cola uit de koeling. Charlie draaide zich om, zijn kwast zwierde door de lucht.

'Hé Steppo, weet je wat ik heb gekocht?'

'Nee,' zei Steppo terwijl hij geld op de bar legde.

'Een pizzaoven. Die komt volgende week. Alle vergunningen en meer van dat gedoe zijn voor elkaar. Dit wordt Charlies Café en Pizzeria.'

'Niet slecht, maar er zit al een pizzeria een paar huizenblokken verderop.'

'De mijne wordt beter, en ik heb werk voor je. Marketing.'

Charlie sprong van zijn kruk af, verdween in het kamertje achter de kassa en kwam weer terug met een enorme stapel

A4'tjes. Oranje. Hij liet de stapel op de bar ploffen en keek Steppo aan.

'Hier. Eén kroon voor elke brievenbus. Ik vertrouw op je, je bent goed en snel. Voor de opening van mijn café had ik een jongen die ongelooflijk snel was. Maar alles lag in de struiken hierachter.'

Steppo pakte een velletje en las: DE BESTE PIZZA'S VAN SOLNA NU BIJ CHARLIES!

'Hoeveel zijn het er?'

'Vijfhonderd.'

'Nee hè? Weet je wel hoeveel traptreden dat zijn? Zet maar een advertentie in de krant, lijkt me een beter plan.'

'Oké, twéé kronen,' zei Charlie.

Steppo aarzelde even. Charlie spreidde smekend zijn armen.

'Oké. Ik neem ze straks mee.'

'En dan wel één in elke brievenbus.'

'Natuurlijk,' zei Steppo en hij ging bij de anderen zitten.

Charlie ging weer door met schilderen. De Koerd-neven juichten over een vrijspel op de flipperkast. Iedereen gaapte ze aan alsof ze een stel idioten waren. Håkan maakte zijn snoepzak open en probeerde ermee rond te gaan, maar Dick waarschuwde dat ze van Buttericks waren. Håkan stond op en liep naar Gunnar.

'Ha Gunnar, wil je een karamel?'

Gunnar knikte, pakte er een en stopte hem in zijn mond. Hij zoog er hevig op en vertrok geen spier. Teleurgesteld ging Håkan weer zitten.

Tahsin keek Steppo aan en vroeg:

'Mag ik jouw kaarten leggen?'

Ze hield haar hoofd scheef en glimlachte.

'Ik weet niet...' zei hij, maar hij voelde zich op een onverklaarbare manier gevleid.

Ze liet hem enkele kaarten zien en legde ze uit. Het waren mooie plaatjes. Je had de Nar, de Geliefden, de Hogepriester, het Rad van Fortuin, de Wagen, de Keizerin. Er waren in totaal achtenzeventig kaarten en ze konden op oneindig veel manieren worden gelegd en uitgelegd.

'Maar?'

'Er is niets merkwaardigs aan,' zei Tahsin. 'Geen hocus pocus. De kaarten houden je alleen een spiegel voor en geven persoonlijke antwoorden. De waarheid over je leven zit in jezelf, maar de kaarten kunnen je die waarheid laten zien.'

Håkan grijnsde.

'Kunnen ze aantonen of ik over tien jaar miljonair ben?'

'Dit is geen spelletje,' zei Tahsin. 'In de tarotkaarten zit levenswijsheid opgeslagen die duizenden jaren lang heeft liggen rijpen.'

Steppo voelde een bepaalde weerzin tegen de kaarten. Niet omdat hij erin geloofde, maar hij had wel een zeker respect dat die weerzin voedde. Hij voelde hetzelfde wanneer Helen zwamde over zwarte magie, demonen, duivels en omgekeerde pentagrammen. Dat ze dat kón. Het leven was zo al zwaar genoeg.

Tahsin keek in zijn ogen. En hij in de hare – zo mooi als die waren! Ze gooide haar kastanjebruine haar naar achteren en zei met een glimlach:

'Oh alsjeblieft, laat me je kaarten leggen.'

Steppo voelde zich droog en dorstig, nam een slok cola.

'Oké, maar ik begrijp het niet.'

'Ik heb een vraag nodig. Wat wil je de kaarten vragen?'

'Hoe gaat het?'

'Hoe gaat het? Je moet preciezer zijn.'

'Hoezo?' zei Steppo. 'Ik vraag de kaarten: hoe gaat het. En dan moeten de kaarten toch kunnen beantwoorden hoe het gaat.'

Tahsin schudde haar hoofd en legde de kaarten op tafel volgens een ingewikkeld patroon dat Steppo niet begreep.

'Het Keltische Kruis,' zei Tahsin. 'Drie Zwaarden, de Magiër, de Maan, de Toren, de Keizerin en de Keizer.'

Steppo was allang blij dat de Dood of de Duivel zich niet lieten zien. Toen begon Tahsin:

'Je wordt geconfronteerd met een uitdaging. Je zult al je daadkracht, initiatief, verstand en bewustzijn nodig hebben.'

'Klinkt als een wiskundetoets,' zei Dick.

'Stil,' siste Tahsin. 'Je zult je uit de buitenwereld moeten terugtrekken. En in het donker gaan ronddolen.'

Tahsin deed haar ogen dicht en verbeterde zichzelf:

'Ronddolen in de onderwereld, maar hier ligt een beschermkaart. Je moet je op je daden concentreren. Je vermogen om geheimen te bewaren wordt op de proef gesteld.'

Iedereen werd stil. Niemand wilde nog iets voorspeld krijgen.

Gunnar kwam naast de tafel staan en keek Håkan verwilderd aan.

'Wil je nog een karamel?'

Gunnar knikte en kreeg de hele zak.

Håkan stompte Dick in zijn zij, hij wilde de jerrycan met wijn zien.

'We kunnen toch alvast een voorproefje nemen?'

'Het is nog niet helemaal klaar. Maar ik kan het je wel al laten zien.'

Helen en Åsa B. hadden met een paar jongens van het Vasalundgymnasium in het clubhuis van het stadion afgesproken. En die waren zo waanzinnig kanonneknap dat ze ze absoluut niet mochten mislopen. De knapste van het hele stel heette kennelijk Fredrik.

Steppo en Tahsin zaten nog als enigen aan de tafel. Recht tegenover elkaar. Ze zeiden niets. Steppo stak zijn hand uit om de kaarten te pakken, maar Tahsin legde bliksemsnel de hare beschermend over de stapel. Steppo aarzelde eerst, zijn hand bleef in de lucht hangen, toen legde hij hem op de hare, en liet hem daar liggen. Hij werd warm. De zenuwen in zijn vingertoppen trilden alsof er zwakke stroomstootjes doorheen liepen. Heel even leken hun bloedsomlopen zich met elkaar te verbinden en hij voelde hoe hun bloed zich mengde, hij werd gelukkig, er kwam iets vrij in zijn lichaam, een vreemd soort kracht.

Voelde zij dat ook?

'Alleen ík mag de kaarten aanraken,' zei ze, en ze trok haar hand weg.

Ze wikkelde de kaarten in een lap stof en stopte ze in een houten kistje. Legde er een kristal bovenop en deed het deksel dicht.

Er waren zo veel dingen die Steppo tegen Tahsin zou willen zeggen nu ze alleen waren. Zijn hoofd zat barstensvol fraaie zinnen. Formuleringen die hij van tevoren bedacht had, 's avonds voor hij in slaap viel. Dingen waarvan hij dacht dat zij ze graag wilde horen en dingen waaruit bleek hoe goed hij was. Aardig, leuk, eerlijk en interessant. Hij deed zijn mond open, maar er kwam geen stom woord uit.

Het lukte Steppo niet zijn blik op Tahsins ogen gericht te houden. Die dwaalde af naar Charlie die boten schilderde op een meer dat in een roodgele zonsondergang werd ondergedompeld. Op het strand stonden huizen en rond het meer lagen bebouwde heuvels. In de lucht zeilden vogels waarvan zelfs de biologieleraar de soort niet zou weten te bepalen. Steppo keek weer naar Tahsin. Hij moest iets interessants zeggen. Nog even en dan zou ze opstaan en weglopen. Hij zocht in zijn kop, voelde paniek, en floepte eruit:

'Heb je het al gehoord van King Kong met zijn scheve stijve?'

Steppo begreep zelf ook wel hoe ongelooflijk stom dat klonk, niet goed wijs gewoon. Tahsin keek hem verbaasd aan. Toen begon ze te lachen. Hij had haar aan het lachen gemaakt! 'Nee, ik bedoelde niet... ik, het is echt waar. Er is iets aan de hand. Een idioot die... ja.'

'Wat bedoel je?'

'Iemand of een paar mensen zijn aangevallen.'

'Door King Kong met...'

'Ja.'

'Probeer je soms interessant of leuk te doen?' zei Tahsin geïrriteerd. 'Dat werkt niet. Ik snap niet waarom jullie jongens zo verdomd kinderachtig moeten zijn. Jullie liggen minstens vijf jaar op ons achter.'

Tahsin stond op en liep weg. Ze had niet hetzelfde gevoeld.

Nu was alleen Gunnar er nog, hij zat aan een tafel aan het raam en stopte broodkruimels in zijn zak. Steppo voelde zich moe en verward. Er waren cursussen in modelbouw, er waren cursussen in amateurfotografie, er waren aquariumclubs, er waren shitshit-cursussen in álles, behalve in 'Zó ga je om met de andere sekse', of 'Zó functioneert en denkt de andere sekse' of 'Guide hoe je HET doet'.

Steppo stelde zich een cursusboek voor met opengewerkte tekeningen van meisjeshersens. Hij stelde zich een snelschets van Helens hersens voor. Die waren hoogstwaarschijnlijk zwart en hadden de structuur van een omgekeerd pentagram waar je makkelijk in kon verdwalen. Als je er weer uit kwam, was je bleek en helemaal bloedeloos en geen mens meer.

De hersens van Åsa B. hadden de structuur van een prinsessentaart: vruchtenmoes afgewisseld met slagroom, laag voor laag, met een joekel van een roze marsepeinen roos op de top. Daar aasde Dick op.

Tahsins hersens zagen eruit als een warme zee met onvoorstelbare en oneindig mooie vissen met ingewikkelde patronen, het was een kwestie van de boot vinden en dan het juiste aas.

Hij had het strand nog niet eens gevonden.

De herfstavond was donker en het was guur. Het begon te motregenen. Steppo hield de stapel reclameblaadjes onder zijn jas. Hij liep huiswaarts, richting Hagalund, sloeg op de Råsundaweg af naar de Åkersweg, en wilde de weg afsnijden over het schoolplein. De school lag er doods bij, zonder één enkel lichtje, ingepakt in een nevel van regen. Hij raapte een leeg blikje op en flikkerde het door de basketbalkorf. Het blikje stuiterde rammelend op het asfalt. Steppo draaide een rondje. Dit was absoluut niet dezelfde plek als overdag. Bladeren vielen van de grote windwijzer bij de gymzaal.

Hij zag iets bewegen, rechts van de windwijzer. Er zat iemand in de struiken naast de meideningang. Wie sloop er verdomme hier rond op dit tijdstip? Alleen een idioot ging na schooltijd naar het schoolplein. Hij bleef een tijdje staan kijken. Misschien was het gewoon de wind die...

Het waaide niet.

Steppo liep snel het schoolplein over en keek intussen om zich heen. Iemand maakte zich los uit de struiken en verstopte zich achter de windwijzer. Al rond spiedend liep Steppo achteruit verder, sloop de hoek om, wachtte weer even en keek toen voor zich.

Een donker schepsel liep over het schoolplein. Groot, geen kind. Steppo rende de Zuiderlangstraat af en door de voetgangerstunnel onder de Frösundabaan. Er zat iemand achter hem aan. Hij hoorde voetstappen weergalmen in de voetgangerstunnel. Hij was niet bang, meer geïrriteerd. Wat was dat voor kloteklootzak? Hij draaide zich vliegensvlug om, maar zag niemand, de tunnel was helemaal leeg.

Hagalund lag er verlaten bij, maar alle ramen van de flats waren verlicht, door sommige flikkerde blauw tv-licht naar buiten, de nevel in. Hij nam de trap omhoog van de Hagalund-straat naar de voetgangersbrug en zette de vaart erin richting zijn huis. Hij hoorde weer voetstappen, iemand rende met een klerevaart, in een wapperende lange jas.

Steppo rukte de voordeur van de flat open, allebei de liften stonden beneden. Hij nam de dichtstbijzijnde om tot de ont-dekking te komen dat iemand het knoppenpaneel een stevige, welgemikte schop had gegeven, zodat het loshing met kapot getrokken kabels. In de andere lift had iemand de knoppen met een aansteker laten smelten. Steppo trok de branddeur naar de wenteltrap open en rende omhoog. Toen hij op de der-de verdieping was, hoorde hij de deur op de begane grond opengaan. Er zat iemand achter hem aan! Hij zag een hand. Niets meer, alleen een hand die langs de trapleuning omhoog-vloog.

Shit. Nu was hij bang. Het bloed joeg door zijn aderen, het klopte in zijn hele lijf.

Steppo stapte op de vijfde etage uit de brandtrapkoker en liet de deur zachtjes dichtvallen. Dit was de curry-etage: de vijfde verdieping rook altijd naar curry. Stappen stonden vlak voor de deur stil. De klink werd naar beneden geduwd. Steppo deinsde naar achteren en hield zijn vinger bij een deurbel.

De deur naar de brandtrap ging open.

Het was Gunnar. Steppo werd kwaad.

'Waar ben jij verdomme mee bezig?'

Gunnar zei niets, liet voorzichtig zijn hand in zijn zak glij-den en haalde er een vogel uit. Met zijn wijs- en middelvinger aaide hij hem over zijn kop.

'Jij bent ook niet goed wijs, jij.'

Gunnar glimlachte.

'Ik wilde hem aan je laten zien.'

Steppo had nog nooit zo'n vogel gezien. Het dier was duidelijk groter dan een huismus, maar kleiner dan een duif. Hij had een geelbruin, gespikkeld verenkleed, een grappig snaveltje en een soort korte snorhaartjes, en hij lag als een bal met een lange staart in Gunnars hand. De vogel draaide zijn koppie en keek hem met zijn zwartglimmende ogen aan.

'Hij is mijn vriend.'

'Wat is het voor soort?'

'Een vogel,' zei Gunnar.

Toen draaide hij zich weer om naar de wenteltrap en verdween naar beneden.

Zijn moeder had het sterke medicijn ingenomen. Dat was te zien. Haar ogen stonden gestrest en haar gezicht was star. Steppo stormde direct door naar zijn kamer. Als ze er zo aan toe was, wilde hij haar niet zien. Maar ze kwam hem achterna.

'En waar heb jij uitgehangen?'

'Buiten.'

Hij legde de stapel reclameblaadjes op zijn bureau. Ze pakte een velletje en las in stilte.

'Jullie hangen alleen maar hele dagen bij die Turk rond.'

Ze deed een misstap.

'En spelen boodschappenjongen voor hem.'

'Ik krijg ervoor betaald. Charlie is oké. Het is een baantje.'

'Mij helpt verdomme niemand. Terwijl je toch weet hoe zwaar ik het heb. Ik red het niet eens tot aan de Vivo hier beneden, en jij loopt een beetje briefjes voor hem rond te brengen, hè? Ik kan niet eens boodschappen doen.'

Golgotha, stenig mij, dacht Steppo, maar hij zei:

'Ik zal morgen boodschappen doen.'

'Dat is je geraden, want er werkt geen enkele lift meer. Ik kan nergens heen. Ik...'

Ze begon te huilen en strompelde de badkamer in. Steppo deed de deur dicht, gooide zich op bed en staarde naar het plafond. Hij voelde zich schuldig. Hij had met haar te doen, ze was zielig. En dat was op de een of andere shitmanier zíjn schuld. Hij voelde een soort hevige, spastische kramp om zijn hart, een strijd tussen haat en schuldgevoel. En hij wist niet welke van de twee sterker was. Moest dit nou echt zo? Hij keek zijn kamer rond. De affiches had hij al lang geleden van de muren moeten trekken, en de zwemprijzen, de bekers en medailles kwamen hem volstrekt vreemd voor. Als een schat uit een oud Inca-graf. Ze kwamen uit een andere wereld en betekenden niets meer. Wat had hij nou eigenlijk? Wat bezat hij? Waar leefde hij voor? Een boekenplank vol stoffige bouwpakketmodellen en een plafond vol stoffige bommenwerpers. Steppo herkende zichzelf niet. Alles was precies als vroeger, maar toch herkende hij zichzelf niet. Niets van zijn spullen raakte hem nog. Alle uren die hij had zitten lijmen en schilderen, alle boeken die hij had over deze vliegtuigen, hij kende alle details: in welke jaren ze waren gebouwd, het vermogen van de motoren, de bommenlast.

Hij stond op en haakte een Lancaster MKII los. Een Engels vliegtuig met 31,1 meter spanwijdte in 't echt, en vier Rolls Royce Merlin-motoren van 1650 pk per stuk. Het vliegtuig werd in de Tweede Wereldoorlog uitsluitend als nachtelijke bommenwerper boven Duitsland gebruikt. Hij vloog ermee in zijn hand, keek nog eens goed naar alle fraaie details, het was perfect geschilderd, een exacte kopie.

Steppo deed de balkondeur open. Vloog ermee het donker, de klamme herfstlucht in. Maakte een tochtje boven de reling. Een nachtelijke bommenwerper. Keek naar beneden, duizelingwekkend diep.

Het regende nog steeds. Hij had alleen een vaag idee van de tegels dertien verdiepingen lager, in het donker. Hij liet het vliegtuig opnieuw over de balkonreling vliegen, liet het sterk stijgen en toen stil boven de afgrond hangen:

Ze vliegen huiswaarts na een bombardementsmissie boven Duitsland. Motoren twee en drie haperen en stagneren. Dan ontstaat een uitslaande brand in motor één. Zwaar gehavend vliegen ze op slechts één werkende motor over het Kanaal. De laatste motor begint effect te verliezen. Ze zien de witte krijtkust van Dover en schieten vuurpijlen af ten teken dat er gewonden aan boord zijn.

De laatste motor dooft uit, de propeller stagneert.

Steppo liet het vliegtuig los. Het dwarrelde omlaag door het donker, tolde rond. Een eeuwigheid. Toen een zwakke, bijna onhoorbare crash.

Hij voelde niets.

Dat verbaasde hem. Hij was iets verloren, kwijtgeraakt.

Had hij iets anders daarvoor in de plaats gekregen? Of was hij helemaal leeg? Wat was er toch gaande?

Hij werd met een schok wakker en zag de rode digitale cijfers op 02:49 staan. De droom stond hem nog helder voor ogen. De meeuw lag voor de opening van de grot en een helderrode vlek bloed groeide in zijn hals.

Er was nog iets anders, maar dat kon hij zich niet meer herinneren.

Hij wist alleen nog dat het koud was.

8

Het was een triestgrijze, doordeweekse middag in Hagalund. De nevel hing in kleffe slierten om de blauwe flats. De duiven zaten nat op het plein, en je kon de dertiende verdieping nauwelijks zien. Nog even en het zou donker zijn.

Ze namen de lift naar de kelder.

'Shit man, wat zullen wij dronken worden,' zei Håkan.

'Weet je zeker dat het werkt?' informeerde Steppo.

'Natuurlijk,' zei Dick.

Achter een metalen deur lag een rij kelderboxen. Er liepen buizen en elektriciteitsleidingen langs het plafond. De lucht smaakte naar beton en er hing een zure rioollucht. Sommige boxdeuren waren opengebroken.

'Ik ben nog nooit dronken geweest,' zei Steppo.

Dick maakte een boxdeur open.

'Dan heb je wat gemist,' zei hij. 'Het is het leukste wat er is.'

'Maar we hebben morgen een toets Engels.'

'Nou en?'

Een zoete, scherpe geur kwam hen tegemoet. De jerrycan stond op de grond. Dick had het feest voorbereid. Drie kussens uit een opengebroken box lagen rond de jerrycan, en er stond een toren witte plastic bekers. Ze gingen zitten. Dick maakte een pakje geconcentreerd perensap open en schonk het in de jerrycan leeg. Toen schudde hij hem stevig, zodat alles één grote drab werd.

'Maar nu heb je het bezinksel weer omhoog geklutst.'

'Kan me niks verdommen! Kom op met die bekers.'

Dick goot het spul over de rand, zodat Steppo's hand vies werd.

'Stop.'

Steppo zette de beker aan zijn mond. Het rook afschuwelijk, en hij bedacht dat het misschien gevaarlijk was om dit te drinken. De lamp ging uit, het werd aardedonker.

'Shit, kan iemand iets aan het licht doen?'

Steppo zette zijn beker op de grond, liep op de tast de keldergang in en vond de rode lichtknop. Hij drukte die in en de tl-buis ging zoemend weer aan.

'Stop er iets tussen,' zei Dick. 'Een spijker of zoiets, zodat de knop blijft vastzitten.'

Steppo gluurde in een opengebroken box. Een doos kerstversiering lag omgekiept op de grond. Glitters, kabouters en gesneuvelde kerstballen. Een kribbe met kamelen, de drie Wijzen uit het Oosten, Maria en het kindje Jezus. Steppo raapte het kindje Jezus op en zette de knop met een plastic voetje vast. Hij liep terug.

Håkan keek naar de anderen en met een brede grijns sloeg hij de wijn in één teug achterover.

'Gadverdamme, wat smerig. Gadverdamme. Ik moet kotsen.'

Håkan slikte en slikte. Hij wist het binnen te houden, leek opgelucht, lachte met tranen in zijn ogen en vulde zijn beker opnieuw, er vlogen spetters op de vloer.

'De eerste beker is het moeilijkst,' zei Dick. 'Daarna gaat het makkelijker. Alles komt los, zeg maar, en dat is superrelaxed. Je moet vooral snelle slokken nemen, het spul niet in je mond houden.'

Dick dronk zonder een spier te vertrekken. Steppo proefde voorzichtig. De wijn was zurig en moeilijk weg te slikken. Toen probeerde hij een grote slok, moest een paar keer achter elkaar slikken. Hij dwong zichzelf de hele beker leeg te drinken. Hij wilde dronken worden.

Håkan en Dick vulden hun bekers voor de derde keer. Ze zwegen een poosje, keken elkaar vol verwachting aan. 'Shit man,' zei Håkan. 'Shit man, nu voel ik iets. Het werkt. Heftig.'

Steppo dronk zijn tweede beker leeg en voelde niets. Het tintelde alleen een beetje in zijn aderen, hij kreeg het warm. De lamp ging weer uit.

'Wat nou weer, verdomme?'

Steppo zocht op de tast zijn weg naar de keldergang en drukte op de knop. Het kindje Jezus was gevallen. Steppo begon te lachen.

'Jezus verlicht, Jezus verduistert.'

Hij voelde zich aangeschoten, er nestelde zich iets in zijn lichaam. Hij werd vervuld met iets lichts en groots dat al het zware, al het donkere verdrong. Hij lachte en klemde de lichtknop weer vast met Jezus' voet. Hij voelde zich verrekte lekker en dacht aan Tahsin.

Dick schonk iedereen nieuwe wijn in.

'Voelen jullie hoe het loskomt?'

Steppo ging weer op het kussen zitten.

'Het kindje Jezus houdt het licht brandend.'

Toen lachte hij. Håkan leunde tegen Steppo aan en legde zijn arm om hem heen.

'Ik mag je, beste jongen. Wij hebben altijd voor elkaar klaargestaan, altijd. Ik hou van jullie allebei.'

Dick en Steppo lachten hysterisch, legden hun hoofd tussen hun knieën en schudden van de lach, kregen nauwelijks lucht.

Håkan begon te schreeuwen:

'Niet als flikkers, snappen jullie wel? Zo bedoel ik het niet, wij horen zeg maar bij elkaar, alle drie. We zullen altijd bij elkaar blijven, altijd vrienden zijn. Weten jullie nog dat ik het olievat liet springen toen we in groep zes zaten? We waren de enige klas die pauze had en we speelden bij de bouw naast de school. De bouwmannen hadden een verdomd groot vuur waar ze hun bouwafval in opstookten, weten jullie nog? Niemand klikte. We bleven elkaar trouw.'

Dick en Steppo knikten.

'Wat een klereknal gaf dat. Weten jullie nog?'

'Tuurlijk weten we dat nog.'

Håkan schonk nog eens in, het spul gutste over de beker, over zijn hand, op zijn broek. Hij slurpte. En Dick ging door:

'Wíj waren gewoon met planken en asfaltpapier aan het smijten, maar jij moest zo nodig nog een graadje leuker zijn en liet het olievat rollen. Slim.'

Håkan lachte.

'Ja, verdomme, er moest toch iets gebeuren. Mazzel dat we er niet meer stonden toen het explodeerde. Het vuur was in één klap weg. BOEOEMMM.'

'Er had wel doden kunnen vallen,' zei Steppo.

'Wij bijvoorbeeld,' zei Håkan en hij begon te proosten.

Steppo keek naar zijn handen en voelde hoe heerlijk en warm het bloed door zijn aderen pompte. Hij was voor de eerste keer dronken en het beviel hem wel. Hij voelde zich onverslaanbaar, en zijn droom om met Tahsin te gaan leek compleet realistisch. Hij zou met haar gaan praten, tuurlijk zou het tussen hen iets worden. Waarom niet? Hij had het gevoel alsof echt álles mogelijk was.

Steppo dronk zijn beker leeg – de hoeveelste was dit? Hij was de tel kwijt. Het smaakte eigenlijk best goed, en als dit dronkenschap was, zou hij wel altijd dronken willen zijn. Dit was magisch.

Dick begon te praten over nummers die hij had gemaakt en nummers die hij zou gaan maken.

'Deze gaat zo.' Hij begon te zingen bij zijn luchtgitaar.

'Hou je bek, man,' zei Håkan.

'Wat nou? Dit is een kei van een nummer!'

'Dat is het niet,' zei Håkan.

Dick speelde onverstoorbaar verder op zijn luchtgitaar, imiteerde solo's met maffe mondgeluiden en riep:

'*Hey ho lets go.*'

Steppo dacht aan Tahsin. Ze zweefde als het ware in een blauw, stralend bolletje binnen in zijn voorhoofdskwab. Hij wilde over haar praten:

'Ze is als een warme zee met exotische vissen in rood en blauw, goud en zilver. Met ingewikkelde patronen. Ik moet de boot vinden die ergens bij een strand ligt.'

Dick begreep het niet. Hij was beledigd omdat niemand zijn nieuwste nummer wilde horen. Wat kon Tahsin hem nou schelen? Hij zou wereldberoemd worden, snapten ze dat niet? Dick leegde zijn beker, greep in zijn kruis en stootte zijn onderlijf naar voren.

'Ik wil Åsa B. neuken.'

'Dat kun je wel schudden,' zei Håkan.

'Moet je soms een klap?'

'Je bent haar type niet. Te miezerig zeg maar.'

'Hoe bedoel je?'

'Moet je mij zien.' Håkan rukte zijn trui uit, showde zijn blote bovenlijf en spande zijn spieren aan. 'Dit willen de meiden hebben. Een perfect exemplaar van de homo sapiens. Niet zo halfbakken.'

'Maar het gaat ook om je hersens,' zei Dick.

'Ja, maar het gaat ook om je pik.' Håkan trok zijn trui weer aan.

'Ik ga meedoen met Devils Dog.'

'Mag je dan Åsa B. neuken?'

'Ja.'

'Ga je soms luchtgitaar spelen?' vroeg Håkan en hij nam een slok.

'Nee, ik ga een blauwe Stratocaster scoren.'

'Dan moet je ook een echt leren jack scoren,' zei Steppo. 'Dit deugt niet.'

Håkan lachte, leunde naar voren en gaf Dick een stomp in zijn rug.

'Jij bent een kunststof rocker. Je wordt nooit een leren rocker. Kunststof is jouw ding.'

Dick kreeg de pest in.

'Dit is geen kunststof, het is imitatieleer.'

'Het is kunststof,' zei Håkan.

Steppo zat te lachen. Hij voelde hoe bepaalde delen van zijn hersens wegdommelden, terwijl andere helemaal uit zichzelf in actie kwamen. Zijn gedachten tolden rond. Hij voelde zich gelukkig, hij hield van Tahsin, zij hield van hem en ze renden hand in hand over het strand naar de zee, en zoenden elkaar in de zonsondergang en...

'Proost!' brulde Håkan en hij spetterde Steppo onder.

Håkan kwam in de opschepfase. Praatte over Ronny en alle grootse daden die ze samen zouden verrichten, hij en zijn broer. Hoe gevaarlijk ze waren, en dat hij mee zou gaan doen in de bende van zijn grote broer. Hij moest alleen eerst iets bewijzen. Hij zou ze wel eens laten zien dat hij geen nul was. Håkan schreeuwde:

'Ik ga een wereldhit scoren, wacht maar eens af!'

Steppo probeerde weer over Tahsin te praten, en over de wonderlijke vissen, maar niemand begreep hem. Dick en Håkan lachten en begonnen een potje te worstelen op de vloer. De bekers kiepten om. Håkan had Dick er snel onder, en Dick gaf zich over.

De lamp ging uit. Steppo wurmde zich door het donker, mikte op de rode lichtknop aan de muur. Drukte er de eerste keer naast, zette zijn vinger op de betonnen muur en lachte. Het leek wel alsof de knop rondzwierf. Hij drukte nu met zijn hele hand. De tl-buis flikkerde aan, het kindje Jezus lag op de vloer, Steppo zette de knop weer vast en liep de box in.

'Het kindje Jezus is ondeugend.'

Dick leegde zijn beker, stond met grote, wankele bewegingen op, trok zijn gulp open en riep:

'Ik wil Åsa B. neuken.'

Het volgende moment zakte hij in elkaar in een hoek in de kelderbox. Hij bleef zitten met zijn kin op zijn borst en zijn gulp open. Steppo en Håkan staarden hem aan.

'Wat gebeurt er?' vroeg Steppo.

Håkan keek in zijn beker.

'Hij verdraagt het spul niet. Wat een watje. Kunststofwatje.'

Ze zaten een poosje stil naar Dick te kijken.

'Hij haakt zomaar af, hè? Net nu het leuk wordt.'

Dicks borstkas begon te schokken, en toen kotste hij. Recht naar voren. Er gingen golven door zijn hele lichaam. De kots stroomde over zijn borst.

'We moeten hem neerleggen. Zo kunnen we hem niet laten zitten.'

Ze legden Dick met zijn wang op de betonnen vloer. Hij hield op met schudden, zijn maag was leeg.

'Shit man, wat een stank!'

De lamp ging uit.

'Verdomd kindje Jezus,' zei Steppo terwijl hij wankelend naar de lichtknop liep.

Hij zag twee rode punten die over de muur rond gleden. Hij moest denken aan het monster dat toen hij klein was in de kelder woonde. Tenminste, dat dacht hij toen. Twee rode ogen in het donker. Maar hij geloofde niet langer in monsters in de kelder. Hij greep naast de knop en tastte de muur af. De plafondlampen gingen aan en Steppo kroop op handen en voeten rond, op zoek naar het kindje Jezus. Maar hij vond het niet. Jezus was weg. Hij moest op de vloer liggen, maar was nergens te zien.

Steppo rolde op zijn rug en lachte.

'Jezus is ervandoor.'

'We smeren 'm,' zei Håkan. 'Kom op, verdomme, er moet iets gebeuren.'

Ze liepen door de ondergrondse tunnel en Håkan trapte alle lichtknoppen die ze onderweg tegenkwamen kapot.

'Verdomme, ik wil vechten.'

'Relax man.' Steppo viel half tegen de muur. 'Wat is er met je aan de hand?'

'Wát wat, alles gaat naar de klote en niemand doet wat. Iedereen weet het en iedereen heeft er schijt aan. Het witte ras wordt met uitroeiing bedreigd. Snappie? We zijn op sterven na dood. Iedereen wordt neger.'

'Maak daar nou niet altijd zo'n punt van.'

'Wil je dat? Hè? Dat iedereen neger wordt? Wil jij neger worden?'

'Wat kan ons dat nou schelen? We hebben nu lol. Ik ben dronken.'

'Alle mensen zouden in hun eigen landen moeten blijven. Maar iedereen wil hier wonen.'

'Ik wil niet hier wonen,' zei Steppo.

Ze gingen de lift in en Håkan fokte zichzelf op voor een schop tegen het knoppenpaneel.

Steppo hield hem tegen en Håkans gezicht betrok.

'Wat is er verdomme met jou? Watje dat je d'r bent! Iets moet er toch gebeuren?'

De wereld waarin ze belandden toen ze bovenkwamen, was niet dezelfde als die waaruit ze waren vertrokken. Steppo en Håkan liepen over de Hagalundstraat tussen de hoge flats. Het was avond en donker. De hemel was helder. Steppo vond het prachtig. De verlichte ramen leken op grote sterren tegen de donkere hemel. Duizenden, in allerlei kleuren. Dit was een nieuwe wereld, en hij zag die voor de eerste keer. De geuren, de geluiden en de kleuren waren mooier, feller. Het duizelde hem. Hij was gelukkig, en hij wilde wel voor eeuwig dronken zijn. Steppo spreidde lachend zijn armen. Hij was een veelkleurige vis met een ingewikkeld schubbenpatroon in goud en zilver. Hij hoefde zichzelf maar te bedienen. Alles was van hem. Alles behoorde hem toe.

Håkan schopte een afvalbak omver, die kletterend over straat rolde. Steppo begreep niet waarom. Alles was toch fantastisch? Steppo wilde de hele wereld wel omhelzen. Hij omhelsde Håkan.

'Mooi dat we vrienden zijn, wij! Shit man.'

'Ja,' zei Håkan. 'Alles gaat ons lukken. Wij zijn krijgers. We zullen ze eens wat laten zien.'

'Hoe bedoel je?' vroeg Steppo.

Håkan pakte hem bij zijn schouders en schudde hem door elkaar.

'Ik haat al die mislukte klootzakken die zomaar hierheen komen, snap je dat dan niet? Alles gaat naar de bliksem, en niemand doet iets.'

Steppo begreep het niet. Hij was een vis, een veelkleurige vis in Tahsins zee, hij draaide zichzelf los uit Håkans greep en zei:

'Ik moet pissen.'

Hij liep naar de struiken. Boog zijn hoofd naar achteren, leegde zijn blaas en probeerde zijn fantastische gevoel vast te houden.

'Kom op!' schreeuwde Håkan.

'Ja, rustig!'

Ze vervolgden hun doelloze wandeling door Hagalund en verder over de Råsundaweg. Håkan rukte aan alle autoportieren die ze passeerden. Ze zaten op slot. Hij gaf zo'n lel tegen een portier dat het autoalarm toeterend aansprong. Ze renden, vlogen vooruit met hun monden open, vulden hun longen met herfstlucht en schreeuwden. Ze waren onverslaanbaar en vrij.

Onder aan de Råsundaweg liep Håkan een telefooncel in, rukte de hoorn los en rende ermee in het rond.

'Hallo, hallo, hallo.'

Toen gaf hij de hoorn aan Steppo.

'Het is voor jou.'

'Wie is het?'

'God.'

Steppo nam de hoorn en zei:

'Hallo, nee, hij heeft opgelegd. Was dat God?'

'Nee, grapje! Het was Satan.'

Håkan trapte het glas van de telefooncel in. Het viel met een enorm kabaal op de stoep.

Een man op een balkon schreeuwde dat hij de politie ging bellen, en Steppo riep terug:

'Moet je de hoorn hebben?'

De man liep zijn flat in, kwam weer naar buiten met een draagbare, draadloze telefoon en maakte duidelijk dat hij verdomme nú ging bellen. Håkan en Steppo renden weg. Sprongen over schuttingen. Struikelden en lazerden lachend in de struiken. Rolden rond in hopen bladeren, gooiden zich in de struiken. En toen in volle vaart een speeltuin in waar ze schommelden en op het klimrek klauterden.

'Ik ben een vis,' brulde Steppo en hij rende het park uit, op de voet gevolgd door Håkan.

Steppo bleef voor een videowinkel staan en bekeek de filmposters in de etalage.

'Moet je kijken,' zei Håkan.

Hij had een autoportier open gekregen, die zat niet op slot. Hij ging achter het stuur zitten, leunde over de zitting en opende de deur aan de passagierskant.

'Hup, erin,' schreeuwde hij tegen Steppo. 'De sleutel zit erin.'

'Wat verdomme?'

'Kom op nu, sta nou niet te sullen!'

Steppo stapte in met de hoorn nog in zijn hand. Het was warm in de auto, iemand had hem net verlaten.

'Wat ben je van plan?' informeerde Steppo.

Håkan lachte.

'Hem jatten.'

'Schiet toch op.'

'Geen paniek, ik kan rijden. Ronny en ik hebben deze zomer een auto gejat. Dit is een automaat.'

Toen draaide hij de sleutel om. De motor startte. Steppo was met stomheid geslagen. Ze tuften al omhoog naar de Frösundabaan. Eerst wat schokkerig en wiebelig, daarna beter.

'Nu gaan we de grote weg op en hup, gas geven.'

Hij maakte een U-bocht over een vluchtheuvel en reed daarbij een voetgangersbord omver. Automobilisten toeterden en stonden op de rem.

'Shit, heftig zeg,' zei Håkan. 'Zo'n auto heb ik altijd al gewild. Groot, luxe en met een V8.'

'Laat me eruit,' zei Steppo.

Maar Håkan was Oost-Indisch doof, lachte en zette zijn hand op de toeter.

Bij Haganorra reed hij over de Uppsalaweg naar Ulriksdal. Voerde de snelheid op tot honderd, duwde het cassettebandje dat uitstak er weer in. Er klonk een honingzoete, saaie ballade.

'Kijk, elektrische ramen.' Håkan drukte de knop in, het raam ging naar beneden en hij gooide het cassettebandje naar buiten.

Hij graaide in het dashboardkastje en vond een nieuw cassettebandje. Dat was al even slecht, dus ook dat smeet hij naar buiten, hij draaide zich om en keek op de achterbank. Daar lag een schoudertasje. Hij trok het naar voren en gaf het aan Steppo.

'Kijk eens of er iets in dat mietjestasje zit.'

Steppo trok de rits open. De tas zat vol pakjes in zilverpapier. Hij vouwde er een open.

'Wat is dit verdomme?' zei Steppo. 'Zijn dit drugs of zo?'

'Hennep,' zei Håkan. 'Dit is verdomme een vermogen. Geef eens hier.'

Steppo deed de tas weer dicht en smeet hem ver naar achteren, tegen het raam.

'Wat doe je nou?'

Steppo schudde alleen zijn hoofd. Hij voelde zich moe, wat was er aan de hand? Waar waren ze mee bezig?

De avond suisde om hen heen. De achterlichten van andere auto's tekenden rode krullen in zijn hersens. Naast de weg zweefden neonborden in groen, blauw en geel. Het lukte hem niet te lezen wat erop stond. Hij probeerde het, maar het ging gewoon niet. De lichten tolden rond, alles tolde rond. Zijn hersens waren als een kapotte camera die bleef hangen in een te lange sluitertijd. Inmiddels voelde hij zich niet meer zo best. Håkan zocht een zender op de radio. Steppo leunde met zijn hoofd tegen de deurstijl. De auto deinde rustig en zwaar over de weg. Steppo dommelde in slaap.

'Smerissen!' schreeuwde Håkan.

Steppo schrok wakker. Hij had verschrikkelijke koppijn en snapte er niets van. Waar was hij? Wat gebeurde er? Wat was er gebeurd?

'Achter ons,' zei Håkan.

Steppo draaide zijn hoofd om en keek door de achterruit. Daar reed de politieauto. Hij voelde een bodemloze angst. Als een luchtzak van duizend meter diep. Volkomen hulpeloos. Hoe was hij hier verdomme beland?

'We worden gepakt. Het is voorbij, het is...'

'Hou je bek,' zei Håkan.

'Ze hebben toch gezien dat-ie gestolen is, snap je dat dan niet?'

Steppo zat met zijn hoofd tussen zijn handen en wiegde heen en weer.

'Shit man, wat voel ik me beroerd, ik ben ziek. Shit, ik ga dood.'

'Ze komen nú,' zei Håkan.

'Ik moet kotsen.'

De politieauto zette zijn blauwe zwaailicht aan en week uit naar de inhaalstrook. Steppo voelde hoe zijn maag zich in krampen samentrok. Hoe de inhoud omhoog werd gepompt. Hij braakte het hele dashboard onder. Golf na golf overspoelde de middenconsole en de cassettespeler. Tot in het cassetteluikje. Wortels en macaroni zwommen in gal en goeie wijn. Håkan schreeuwde alleen nog maar en deed zijn best de auto recht op de weg te houden. De politieauto kwam naast hen rijden, bleef daar een tijdje, gaf toen gas en passeerde hen.

'Ze gaan ons aanhouden,' schreeuwde Steppo en hij veegde zijn mond af.

'Bek dicht. We hebben niets gedaan. Ik rijd netjes volgens de regels.'

De politieauto haalde hen gewoon in en reed in volle vaart richting Norrtull. Moest dus ergens anders heen.

'Oh, shit,' zei Steppo.

'Wat nou, het ging toch goed? Maar man, wat een klerestank hier!'

'Ik heb geloof ik... in mijn broek gepist.'

Håkan sloeg bij Haganorra af, de Frösundabaan op. Steppo zat hevig te slikken, voelde dat hij weer moest overgeven. Dat haatte hij. Zijn keel brandde en zijn verhemelte deed pijn. Hij voelde zich binnenstebuiten gekeerd, alsof hij al zijn ingewanden eruit had gespuugd en die nu over het dashboard stroomden. En het kwam alweer bijna, het krampte helemaal tot in zijn keelgat.

'Zet me eruit,' zei Steppo. 'Ik moet kotsen. Ik ga naar huis. Stop.'

Håkan stopte niet.

'Ik ben ziek, stop!'

Håkan gaf op de Frösundabaan gas richting Solna Centrum en zei:

'Nu herken ik hem. Zo een als deze, zo'n grote, zwarte kloteauto heeft Tony C. Backman. Een Cadillac Coupe de Ville.'

'Wie is Tony C. Backman?'

'Hij heeft de knieën verbrijzeld van een jongen van de Dalweg.'

'Shit zeg!'

'Die was hem geld schuldig, niet zoveel. Maar...'

'Stop.'

'Dit is zijn auto, ik weet het honderd procent zeker.'

Håkan keek Steppo lachend aan.

'Die hebben wij gejat, en die heb jij ondergekotst en -gepist. Je kunt voor minder doodgaan.'

Steppo slikte en slikte, maar redde het niet. Hij gaf weer over. Dit keer probeerde hij het met zijn handen en tussen zijn knieën op te vangen.

'We kunnen deze auto beter inwisselen,' zei Håkan. 'Jij hebt hem verknald. Nog even en ik moet zelf overgeven van deze verrekte stank.'

Op de kruising met de Solnaweg sprong het stoplicht op oranje. Håkan trapte het gaspedaal helemaal in om het stoplicht nog te halen. De automatische versnellingsbak schakelde terug en de motor draaide op volle toeren. Het licht was allang rood voor ze er waren, maar Håkan liet het gaspedaal niet los. Ze scheurden door het rode stoplicht op het moment dat het overstekende verkeer optrok. Auto's kwamen van rechts en links op hen af. Håkan draaide het stuur helemaal rond. De banden gierden en de hele wereld stond op zijn kop.

En toen begon er blik te rammelen en er klonken doffe klap-

pen. De twee ton zware Amerikaanse slee doorploegde de kruising. Steppo hield zich vast, zijn hoofd werd tegen de zijruit
gedrukt. Ze namen alles mee wat op hun weg kwam. Er klonk
geknars en gekrijs. Blik werd verfrommeld. Ze schoven zijde-
lings over de vluchtheuvel en ramden met hevig geweld het
stoplicht. Het blik kermde, de ruiten explodeerden. Een stof-
wolk van miljoenen stukjes glas daalde neer in de auto. Seconden duurden een eeuwigheid. Een bulderend, hels kabaal. Zo
klonk de dood, en er kwam geen eind aan.

Hevige krachten rukten en trokken aan Steppo. Gerammel
en vliegende delen, rond, rond. Hij ging dood, hij wist het. Kon
elk moment gewoon worden platgewalst. Omhoog zweven en
alles van de kant van de engelen bekijken, nog even en hij zou
met vleugels op zijn rug boven op het Råsundastadion zitten
en over Solna uitkijken, de kruising zien, alle bebloede mensen, zichzelf daar zien liggen op het natte asfalt en hoe er een
gele ambulancedeken over zijn hoofd werd getrokken. Zo
klonk de dood, de dood, de dood. Hij gaf weer over, en de kots
slingerde in het rond tussen de rondstuivende stukjes glas.

De auto werd opgevangen door een stevige reling en gleed
naar voren tot de reling ophield. Toen gleed hij een grashelling
af en kwam tot stilstand tussen de metro en het Råsundastadion.

Het werd doodstil. Ontzettend, onwaarschijnlijk stil. Alleen
wat gerinkel van glas dat viel en de knal van een chroomlijst
die plotseling losschoot.

Håkan begon te schreeuwen:

'Eruit, eruit, eruit. We gaan!'

En hij ging. Maar Steppo kreeg zijn deur niet open, die was
ingedeukt. Hij kroop over de bank. Haalde zijn handpalmen
open aan het glas en rolde aan de bestuurderskant naar buiten.
Hij stond op en voelde een heftige pijn in zijn dij. Hij keek omlaag en zag een metalen portierlijst dwars door zijn broek,

recht in zijn dij steken. Hij greep het ding met beide handen vast en trok, het liet met een nat, slurpend geluid los. Het bloed gulpte naar buiten, een warme plens in de jeansstof.

Steppo zag hoe mensen op de helling stonden te kijken. Ze wezen en schreeuwden. Hij hinkte door de voetgangerstunnel omhoog naar de Westerstraat, werkte zich met moeite de steile trappen op tussen de huizen. Hij ademde hortend en moeizaam, trok zichzelf uiteindelijk met behulp van zijn armen aan de reling omhoog. Toen zakte hij in elkaar, kroop tussen een paar struiken en bleef daar liggen als een aangereden, stervende kat. Hij had niets meer om over te geven, maar zijn lichaam begreep dat niet. Hij gaf droog over, en er werd aan zijn ingewanden gerukt en getrokken alsof een kracht hem van binnenuit probeerde te verscheuren.

'Oh God, oh God, oh God.'

Håkan keek om, niemand achtervolgde hem. Hij stopte met rennen en liep verder. Zijn hand bloedde, maar verder was hij ongedeerd. Van de kaart, maar ongedeerd. Hij voelde zich aangeschoten, maar toch rustig. Dat was een prettig gevoel. Bij de markt van Råsunda stopte hij en waste in de fontein het bloed van zijn hand.

Ergens loeiden sirenes.

9

Dick had pijn in zijn kop en kon zich niet veel herinneren van de avond daarvoor. Daar was één groot, zwart gat. Hij was in het donker wakker geworden en wist niets meer. Dacht eerst dat hij blind was, had wanhopig op handen en voeten rondgekropen, een gang in, en zich gesneden aan versplinterde kerstballen. Pas toen hij de knop op de muur rood op zag lichten, begreep hij dat het avond was. Hij kon zich alleen nog herinneren dat ze de wijn gingen testen. Hij voelde zich nog steeds beroerd, en school interesseerde hem geen moer. Dick was op weg naar het metrostation van Solna Centrum. Bij elke stap die hij zette, sneed de pijn door zijn hoofd alsof zijn hersens loszaten en rondklotsten.

Op het voetpad, vlak voor de trap naar de metro, stond een total loss gereden auto. Er liep een fotograaf omheen. Zo te zien was de auto van de kruising afgegleden. Het gras op het talud was omgeploegd tot diepe moddergroeven. Een takelwagen met oranje knipperlichten reed achteruit langs het voetpad en stopte bij de auto. Dick liep erlangs. Een paar mannen in geel-groene overalls gingen met staalkabels en kettingen in de weer om het wrak op te laden.

De gitaren hingen op hun plek. Rode, ivoorwitte, goudkleurige: Fender, Gibson, Ibanez. De prijskaartjes waren onredelijk, zelfs die van de Ibanez. Een goedkope Gibson kostte vijfduizend kronen!

Met zijn handen diep in zijn zakken bekeek Dick de blauwe Strato. Hij zag zichzelf al met het ding om zijn nek op het podium van het stadionclubhuis staan, met Åsa B. in het publiek. Dick draaide zich om naar Silver die nieuwe bekkens in een cimbaalrek hing.

'Je kunt deze toch wel voor me vasthouden tot ik geld gescoord heb. Alsjeblieft.'

'Natuurlijk.'

'Mooi.'

'Maar je moet tweeduizend ballen aanbetalen, dan kan ik hem voor je vasthouden.'

'Tweeduizend?'

'Moet jij niet naar school?'

Dat moest hij wel. Dick keek op de klok. Op dit moment had hij eigenlijk een toets Engels.

Steppo lag in elkaar gekropen op zijn zij op de huiskamerbank, zijn knieën opgetrokken en zijn handen tussen zijn dijen geklemd. Hij staarde naar de boekenplank. Daar stonden een strekkende meter jaarboeken vol sportoverzichten en een strekkende meter Scandinavische misdaadkroniek. Op de allerlaagste plank stond de Grote Encyclopedie in 25 delen plus wat lectuur over vliegvissen. Op de bovenste plank stond een verzameling ingelijste foto's. De grootste was een familieportret dat was gemaakt toen Steppo zeven jaar werd, en verder stonden er wat schoolfoto's van hem tijdens de laatste jaren van de basisschool. In het midden stond in een goudkleurige lijst een kleurenfoto van zijn vader en hem in de boot op de rivier, met werphengels in hun handen.

De fotoverzameling werd bewaakt door twee sierkamelen van een charterreis in een grijs verleden, en drie beschilderde houten paardjes in verschillende maten.

De wijn had gewerkt.

Hij hoorde hoe zijn moeder in haar slaapkamer lag te huilen.

Die ochtend was compleet hysterisch verlopen. Van de vorige avond kon hij zich amper iets herinneren, maar het laatste
uur waren in zijn hersens bepaalde dingen vaag naar boven gekomen. De auto kon hij zich herinneren, en dat Håkan had gereden, het gerammel van blik, en dat hij ergens in de struiken
wakker was geworden. Maar niet hoe hij thuisgekomen was.
Zijn moeder was kennelijk nog wakker geweest.

Besmeurd met bloed, overgeefsel en dronken, zelf wist hij
er niets meer van. En hij had haar gevraagd alsjeblieft op te rotten met haar gejammer, haar kwaaltjes en de hele shitzooi.
Daar wist hij ook niets meer van. Maar zij had zijn geheugen
opgefrist, de hele klere-ochtend lang, aan één stuk door. Ze
was gaan huilen en had doorgedramd, tot de wereld één kled-
derige brij was geworden. Hoe teleurgesteld ze in hem was. Na
alles wat ze voor hem had gedaan, na alle opofferingen. Al haar
gewrichten deden nu extra pijn.

Midden in het kruisverhoor was Steppo wakker geworden,
totaal verward.

Wie had die drank geregeld?

Wat had hij verdomme gedaan?

Waarom moest hij haar zo straffen?

Dacht hij dan helemaal niet aan haar?

Hoe kon hij haar zo haten?

Begreep hij niet hoeveel verdriet hij haar deed, hoezeer hij
haar kwetste?

Ze schreeuwde en kwam toen met de grote, zware schuldha-
mer aanzetten:

'Gelukkig maar dat Göran dood is, dan hoeft hij dit ten minste niet meer mee te maken.'

En ze kon zelf ook net zo goed doodgaan. Dat was tenslotte
toch wat hij wilde: dat zij DOOD zou gaan.

Steppo had niet de puf gehad om te antwoorden. Alleen maar moe geknikt, en toen hij bij haar laatste woorden knikte was ze weer gaan huilen en had ze beweerd dat hij haar dood wenste. Toen had hij het knikken gestaakt en was op de bank gaan liggen. Had zichzelf uitgezet.

School kon hij vandaag wel schudden.

Ze was nu gestopt met huilen. Of ze had de deur naar haar slaapkamer dichtgedaan, of ze had wat van haar sterke medicijn ingenomen en was in slaap gevallen, of ze was uit het raam gesprongen.

Steppo haatte die kamelen, ze waren lelijk. Hij keek om zich heen en kwam tot de conclusie dat alles in de flat lelijk en fout was. Triest. Zelfs de geur was triest. Hij wilde weg, dit achterlaten, gewoon gaan, ver weg. Tienduizend kilometer hiervandaan. Steppo krabbelde overeind, liep naar de wc, trok zijn broek naar beneden en zag dat de wond weer bloedde. Hij doorzocht de badkamerkast naar iets om de wond schoon te maken. Maar hij vond alleen een paar flessen met opgedroogd spul waarvan hij niet wist waarvoor het diende. Er lag een kompres. Hij drukte het op de wond, zocht leukoplast en draaide die eromheen. Het klopte, maar deed niet erg pijn. Niet zoveel als je zou denken wanneer je het zag.

Hij was nu een autodief.

Håkan zat aan een tafel in Charlies café. Hij keek door het raam. Aan de plastic letters die op het glas geplakt zaten, was iets toegevoegd. Nu stond er CHARLIES CAFÉ EN PIZZERIA en Charlie zelf bakte de pizza's voor de weinige gasten. Er zaten wat bouwvakkers aan een tafel te praten over de nieuwe auto van een van hen. En aan een tafeltje bij het raam zaten een paar ouwe taarten. En dan was er Gunnar.

Charlie bediende.

Håkan at niets, hij dronk een cola. Bij de flipperkast stonden

Dembo en de Koerd-neven een potje te flipperen. Het balletje knalde tegen het glas en de kast piepte en kermde. De punten ratelden op het scorebord. Håkan keek naar Gunnar, die kwijlend zijn pizza at. Dat Charlie hem hierbinnen wilde hebben, snapte Håkan niet. Want voor iemand als Gunnar gingen mensen op de loop. Hij zou opgesloten moeten worden in een tehuis en niet vrij rondlopen tussen normale mensen. Snapte Charlie dat nou niet? Zo verloren de mensen toch hun eetlust. De Koerd-neven kregen een vrijspel en juichten. Håkan keek naar hen en liet zijn colablikje op tafel rondtollen. Hij haatte ze. Toen keek hij weer naar Gunnar. Hij haatte hem.

'Hé Gunnar,' zei Håkan. 'Kom eens hier, ik heb iets voor je.'

'Een karamel,' zie Gunnar en zijn gezicht klaarde op. 'Een karamel.'

Gunnar sjokte naar Håkans tafel.

'Nee, ik heb iets beters.'

Håkan haalde een pornoblaadje uit zijn jaszak.

'Hier, mag je hebben.'

Gunnar bladerde erdoorheen, staarde verbaasd naar de foto's en begon te lachen. Hij hield het blaadje omhoog en wees naar de foto's, liet het blaadje aan iedereen zien. Gunnar wist vast niet waar ze over gingen, hij vond de foto's gewoon erg grappig. Hij liep naar Dembo en de Koerd-neven.

'Kijk hier, kijk hier. Neuken, neuken.'

En toen lachte hij weer en liep naar de dames aan het raamtafeltje.

'Kijk hier, kijk hier.'

Ze schoven onrustig op hun stoelen heen en weer en deden alsof hun neus bloedde. Maar Gunnar gaf niet op, hij wilde echt hun aandacht. Hij sloeg het blaadje op hun tafel open en bladerde erdoorheen. Ze stonden op en liepen weg. Gunnar liet het blad aan de bouwvakkers zien. Zij herkenden hem en wisten wat voor vlees ze in de kuip hadden.

'Kijk hier, neuken,' zei Gunnar.

'Mooie tieten,' zeiden ze lachend tegen Gunnar.

'Tieten, tieten,' herhaalde Gunnar.

Toen gingen ze de draak met hem steken.

'Hé, Porno-Gunnar, ga eens naar de Turk in de keuken, zoiets heeft hij vast nog nooit gezien.'

Gunnar deed wat ze zeiden. De bouwvakkers lagen in een deuk. Charlie stormde de keuken uit, witheet van woede, en voer tegen hen uit.

'Wie heeft hem dit blad gegeven?'

'Relax man, wij niet. Hij kwam het gewoon laten zien.'

Gunnar hield het blaadje boven zijn hoofd zodat iedereen het kon zien.

'Kijk hier, neuken.'

'Geef hier dat blad,' zei Charlie.

Gunnar liep achteruit en klemde het blad onder zijn lange jas. Hij weigerde het af te staan.

Charlie riep iets onbegrijpelijks tegen de bouwvakkers. Die stapten op. Gunnar ging aan een tafel zitten, haalde het blaadje stiekem weer tevoorschijn, bladerde en lachte. Toen las hij hakkelend:

'Neuken, de lul, de kut.'

Charlie gaf het op, liep naar achteren en ging verder met de afwas.

Het begon te stortregenen. Steppo trok zijn jas over zijn hoofd, maar nat werd hij toch. De hemel stond wagenwijd open. Het water stroomde als een rivier over de Råsundaweg de waterputten in. Hij stak de weg schuin over en ging bij Charlies naar binnen, streek met zijn hand door zijn natte haar en nam een cola uit de koeling. Legde geld in de kassala en ging bij Håkan zitten. Ze keken elkaar aan zonder iets te zeggen. Håkan toverde een glimlach op zijn gezicht. Steppo schudde zachtjes zijn hoofd. Håkan draaide het colablikje op tafel rond, ontweek Steppo's blik, en zei:

'Het is toch goed gegaan.'

'Ik wil er geen woord meer over horen.'

'Oké,' zei Håkan.

'Wat we gisteren hebben gedaan is nooit gebeurd.'

Håkan keek op en zag Steppo in de ogen.

'Ik beloof het, geen woord.'

Zwijgend zaten ze bij elkaar. Buiten was de regen net zo plotseling gestopt als hij was begonnen. Heb ik weer, dacht Steppo. Ongetwijfeld zou het weer gaan regenen zodra hij naar buiten ging.

Met een brede grijns hield Gunnar zijn blaadje onder Steppo's neus.

'Tieten, tieten.'

'Waar heb je dat vandaan?'

Gunnar wees naar Håkan.

'Hij is aardig. Karamels en dit blad.'

Steppo keek Håkan aan en zei:

'Waar was dat nou verdomme voor nodig?'

'Hij heeft er toch lol in.'

'Geef mij eens,' zei Steppo.

Gunnar trok het blaadje naar zich toe en verliet het café. Hij liet het aan iedereen in de rij bij de bushalte zien.

'Porno-Gunnar,' zei Håkan.

Ze zagen dat de mensen zich ontzettend aan hem stoorden. Een man porde Gunnar in zijn zij en schreeuwde iets. Gunnar liep weg.

'Heb je iets tegen Ronny gezegd?'

'Nee.'

'Denk eraan: dit is nooit gebeurd.'

'Kappen nu. Ik kan heus mijn mond wel houden. Ik heb het toch beloofd. Vertrouw je me soms niet?'

Gunnar klauterde over het hek van kinderdagverblijf De Sterrenbloem. De kinderen droegen kleurige kunststofbroeken, aten zand in de zandbak, wipten op de wip, speelden met een bal en gleden van de glijbaan. Gunnar liep tussen de kinderen rond en liet zijn maffe blaadje zien. Toen het personeel doorkreeg wat hij deed en wat het voor blad was, probeerden ze het hem af te pakken. Gunnar werd boos, agressief, en begon om zich heen te slaan. En toen schreeuwde hij:

'Neuken, lul en kut, neuken, lul en kut.'

Hij kwijlde en sprong heen en weer.

'Neuken, lul en kut.'

Het personeel nam de kinderen mee naar binnen. Gunnar bleef eenzaam achter in de zandbak en praatte in zichzelf, wees in het blaadje en lachte. Het begon weer te regenen. Hij had het niet eens door.

10

Håkan spijbelde. Hij lummelde rond met zijn grote broer Ronny en diens Black Army-makkers Kenny en Timo. Ze hadden geschoren koppen, zwarte taillejacks en stevige boots. Op hun rechterschouder zat het AIK-embleem en op de linker- de Zweedse vlag. Ze deden alle drie de studierichting autotechniek op de Frösundaschool, naast metrostation Solna. Maar daar waren ze zelden te vinden. Håkan wilde ook zijn hoofd kaalscheren en de juiste kleren dragen, maar dat mocht niet van Ronny, hij moest zich eerst kwalificeren. Het waard blijken te zijn, anders zou elke willekeurige snotneus hun reputatie wel kunnen mollen. Dat Håkan zijn broer was, was nog geen reden om voor hem een uitzondering te maken.

Ze stonden bij Ingvars Hotdogkraam in Solna Centrum sandwiches te eten. Håkan voelde zich speciaal wanneer hij met zijn broer en diens vrienden op stap was. Hij merkte dat mensen voor hen aan de kant gingen. Dat ze respect hadden.

'Wanneer wij de macht grijpen, worden alle allochtonen gedwongen gedeporteerd.'

'Dat is niet slim,' zei Ronny. 'Het is beter om het ze moeilijk te maken. Geen uitkeringen, geen banen, niets. Dan taaien ze vrijwillig af. Het is beter om meer politiek dan gewelddadig te werk te gaan, dan krijgen we alle jongeren mee. En met alle bedoel ik álle.'

'Denk je dat?' vroeg Kenny.

'Shit man, we moeten wat bier hebben,' zei Ronny. 'Er is een match vanavond. We moeten in vorm komen.'

'Ja,' zei Timo.

Ronny draaide zich om naar Håkan, legde zijn hand op de schouder van zijn broer en zei:

'Wil je ons een handje helpen?'

Dat wilde Håkan maar al te graag, hij zou zijn leven geven voor zijn grote broer.

'Ga naar het benzinestation en jat een paar sixpacks. Wij wachten hier.'

'Ja maar...'

'Wil je nou mee naar die wedstrijd, of...'

Håkan stak de straat schuin over, moest op de vluchtheuvel in het midden blijven staan voor een passerende bus. Voor de deur van het benzinestation draaide hij zich om en keek naar Ronny aan de andere kant van de Solnaweg. Ronny zwaaide met allebei zijn handen terwijl hij 'kst kst' riep. Håkan liep naar binnen, liet zijn blik razendsnel rondgaan om in te schatten hoe hij dit zou aanpakken. Er waren twee mensen aan het werk, een jongen en een meisje. Dat maakte de zaak lastiger. De jongen las een krant en het meisje legde zakken chips in de rekken. Er waren verder geen andere klanten in het pompstation. Onopvallend liep hij een beetje lukraak rond. In een mand lagen wegwerpcamera's, hij grabbelde ertussen om te checken hoe wakker het personeel was. Ze keken niet naar hem, waren ontspannen en in beslag genomen door hun eigen bezigheden. Misschien was het een koud kunstje. De biertjes lagen het verst weg. Hij liep langs het meisje bij de chips en de jongen bij de toonbank.

Håkan jongleerde een beetje met een paar blikjes frisdrank, nam toen snel een sixpack onder elke arm en rende naar de deur.

'Shit, wat doe jij nu?'

De jongen wierp zich over de toonbank en versperde hem de weg, het meisje vloog hem van achteren aan. Håkan rukte en trok om los te komen. Hij ging tegen de vlakte. De sixpacks vlogen op de grond en de blikjes rolden sissend weg.

Håkan schreeuwde en kronkelde.

'Dood zijn jullie, begrepen? Dood.'

Ze hielden hem op de grond tot hij wat gekalmeerd was, toen werd hij een personeelskamer in gesleept en op een stoel geduwd. Het meisje bewaakte de deur, de jongen leunde tegen een bureau dat voor Håkans neus stond.

'Je mag kiezen,' zei de pompjongen, 'dan snap je hoe fair wij zijn. Maar alleen als je je hier nooit meer laat zien. Óf we bellen de politie en doen aangifte, óf je ouders mogen je komen halen en de gesneuvelde biertjes betalen. Aardig, hè?'

'Oké,' zei Håkan.

De jongen draaide zich om en pakte een telefoon. Håkan dicteerde een telefoonnummer. De jongen toetste het in en vroeg Håkan:

'Van je pa?'

'Nee, van ma, thuis. Pa is...'

Håkan keek naar de deur. Het meisje glimlachte naar hem. Håkan wist niet of hij dat als spot of als medelijden moest opvatten. De jongen kreeg iemand aan de lijn.

'U spreekt met de ok op de Solnaweg. Uw zoon zit hier en heeft geprobeerd bier te jatten... Ik... maar... Wat?'

De pompjongen keek naar de telefoon en legde weer op.

'Ja?' zei het meisje. 'Komt ze?'

'Dat klerejong kon wat haar betreft opsodemieteren. Thuis hoefde hij zich verdomme niet meer te laten zien. Ze kletste uit haar nek, was straalbezopen.'

'Bel de politie dan,' zei Håkan.

De pompjongen keek hem even aan.

'Ga maar. Maar ik wil je hier nooit meer zien!'

Het meisje hield de deur van de personeelskamer open en Håkan liep rustig naar de uitgang. Er kwamen klanten binnen die getankt hadden en iemand die van de wc gebruik wilde maken. Håkan stak zijn hand in de mand met wegwerpcamera's. Hij nam er één uit en maakte dat hij wegkwam.

Ronny keek hem vermoeid aan.

'Waar zijn de biertjes?'

'Wegwerpcamera,' zei Håkan, hield hem voor zijn ene oog en nam een foto.

Ronny gaf hem met vlakke hand een klap tegen zijn slaap.

'Jij bent compleet waardeloos, man. Stuur ik je weg om bier te scoren, kom je terug met een shitcamera.'

'Ze hebben me gepakt.'

'Waardeloos ben je.'

'Maar...'

'Zijn wij broers of hoe zit dat? Zou je niet denken. Hup, naar de ICA jij, en kom verdomme niet terug met een stokbrood of zo!'

Kenny en Timo lachten.

De klas had biologie. De leerlingen zaten op hun plaatsen te pielen met wat sporenplanten die ze in het Hagapark hadden vergaard. Legden de delen onder de microscoop. Mossen, korstmossen en varens. Ze tekenden ze na, benoemden de verschillende bestanddelen. Dat was althans wat ze móésten doen. Maar veel leerlingen stopten alle mogelijke rotzooi onder de microscoop. Steppo had een poot van een kever onder het glas gelegd, die zat vol stekels die met het blote oog niet te zien waren.

Bengt, hun biologieleraar, maakte een erg gestreste indruk en het liet hem blijkbaar koud waar de leerlingen mee bezig waren. Hij beende langs de glazen kasten met opgezette vogels en dieren, keek erin, maakte de glazen deuren open en verplaatste de vogels van hier naar daar. Kennelijk was hij naar iets op zoek.

'Kijk hier,' zei Dembo, 'ik heb een schaamluis onder de microscoop.'

'Hé, hoe kan dat?' vroeg Dick.

'Van Åsa B.'

Steppo ging over de bank heen liggen, hij keek naar de oehoe en dacht aan Tahsin, probeerde haar uit te kleden. Haar blouse ging goed, hij koos voor grote tepelhoven. Hij kwam bij haar slipje, begon te aarzelen, probeerde de kleur ervan te raden, koos voor rood en manoeuvreerde het omlaag zodat er een centimeter van het zachte kattenhaar zichtbaar werd, nog een klein beetje meer en...

Nog steeds had hij haar niet durven vragen, maar hij zou het gaan doen. Het kon elk moment gebeuren. Maar...

Toen klonk er een brul:

'Waar is in hemelsnaam de Vlaamse gaai?'

Dat was Bengt. Hij had alle kasten doorzocht.

'Gisteren was hij hier nog, hebben jullie hem gezien? Heeft iemand hem gezien?'

Tegelijkertijd ging de bel, iedereen stond op.

'Nee, nee,' schreeuwde Bengt en hij liep naar de deur. 'Als een van jullie hem gepakt heeft, wil ik hem nú terug.'

Ze keken elkaar allemaal verbaasd aan. Wie wilde er verdomme nou een stoffige Vlaamse gaai uit het begin van de twintigste eeuw? Maar Bengt gaf niet op.

'Jullie laten zien wat er in je tassen en rugzakken zit voor je de deur uit mag.'

Er ontstond een rij, Bengt checkte wat ze bij zich hadden. Åsa B. protesteerde, dit was schending van hun integriteit. In Eva's tas zat een knuffeldiertje. Bengt hield het op zodat ieder-

een het kon zien. Een bever. Helen verzuchtte:
'Wat een waanzinnig watje.'
Maar wat Bengt ook vond, geen Vlaamse gaai.

In de kleine pauze zaten ze in het overblijflokaal te kaarten. Steppo, Dick, Tahsin, Helen en Åsa B. Håkan was niet naar school gekomen. Ze speelden iets onbegrijpelijks; alleen de meiden snapten het.

De Cipier liep rond en inspecteerde de bovenlippen van de jongens. Hij leek wel teleurgesteld toen bleek dat hij nergens pruimtabak kon uitpersen.

'Wie komen er op het feest?' informeerde Helen.

'Zien we nog wel,' zei Åsa B.

'En uit onze klas?'

'Hm, het zijn allemaal zulke slome duikelaars, maar ik ga Fredrik en zijn vrienden van Vasalund vragen.'

Dick keek op van zijn kaarten naar Åsa B., en zei:

'Ik kom.'

'Word es wakker, joh,' zei Åsa B.

'Jij hebt HET nog niet gedaan,' zei Helen. 'Je moet HET gedaan hebben, anders mag je niet komen. We gaan niet in de vijver vissen of zo.'

'Wát gedaan?' vroeg Dick.

'Wat denk je?' vroeg Helen. 'Je kunt aan je ogen zien dat jij het niet gedaan hebt. Er is maar één jongen in de klas die HET gedaan heeft. En dat is Håkan.'

Dick raakte uit zijn humeur en zei:

'Hoe weet jij dat nou, verdomme?'

'Dat Håkan het heeft gedaan?' zei Helen. 'Driemaal raden.'

Dick zei een poosje niets meer. Zwijgend speelde hij het onbegrijpelijke kaartspel.

Steppo deed hardnekkig pogingen om te formuleren wat hij tegen Tahsin moest zeggen, maar het was één grote wirwar van woorden in zijn kop. Misschien moest hij iets schrijven, een brief, en aan haar overhandigen. Dat zou hem tijd geven om de juiste woorden te vinden, zijn gevoelens op te roepen, op te roepen wat hij voelde. Ze zou het begrijpen. Hij zou de brief vanavond al schrijven.

'Ik kan wel wijn regelen voor het feest,' zei Dick. 'Voor iedereen.'

'Meen je dat?'

'Ja.'

'Wat voor wijn?'

'Kwaliteitswijn.'

Het volgende uur hadden ze natuurkunde. Steppo en Dick rommelden in hun kasten om boeken, losse blaadjes en pennen te vinden. Steppo vond een duikbril achter in zijn kast. Het elastiek was uitgedroogd en zat vol barsten. Hij trok eraan en het knapte direct.

'Kun je het zien?' vroeg Dick.

'Wat?'

'Dat ik het niet gedaan heb.'

'Ja,' zei Steppo. 'Je ogen staan troebel van alle zaadcellen die in je kop rondzwemmen.'

'Shit, hou op.'

'Geen paniek. Ik heb het ook nog niet gedaan.'

'Echt niet? Ik dacht dat iedereen het al had gedaan en dat alleen ik was overgebleven op een of ander klote en verlaten rukeiland.'

Het natuurkundelokaal was open, maar er kwam geen leraar opdagen. Iedereen zat op zijn plaats – voor even. Toen duidelijk werd dat het een leraarloze les zou worden, begonnen de meesten rond te rennen, te roepen en te schreeuwen.

Steppo zat te klooien met de gaskraan op zijn bank. Dembo

was bezig met iets in de zuurkast. Hij had een stukje natrium gevonden en legde dat in water. Het stukje reageerde en dreef sissend rond. Åsa B. en Helen smeedden plannen voor het feest en maakten lijsten van wie er mocht komen. Bijna niemand kwam door de selectie. Maar Dick, Steppo en Håkan stonden wel op de lijst, dankzij de kwaliteitswijn.

Te midden van al dat lawaai probeerde Eva te lezen. Steppo keek naar haar. Boeken en papieren vliegtuigjes vlogen door het lokaal. Ze was de beste van de klas, waarschijnlijk van de hele school, ze was de beste want ze had niets anders te doen, geen feesten om naartoe te gaan, geen meidenmiddagen, niemand om mee naar de bioscoop te vragen, niemand om ook maar íéts mee te doen.

De Cipier stak zijn hoofd om de deur en schreeuwde dat iedereen op zijn plaats moest gaan zitten en aan het werk moest gaan. De natuurkundeleraar zat met ziekteverlof thuis, had een gebroken sleutelbeen na een botsing.

'Dankzij de dronkenmansrit van een stelletje kleine klotegangsters.'

De Cipier verdween weer, en een seconde later was er weer volop leven in de brouwerij.

Steppo stond op en verliet de leraarloze les. Hij ging in het trappenhuis in de vensterbank zitten en keek door het smerige raam naar buiten. Gunnar slenterde op het schoolplein rond met zijn blaadje. Wat De Cipier net had gezegd, kon niet waar zijn, hij besloot dat het niet waar was. Het was nooit gebeurd. Steppo bleef daar de rest van de les zitten.

Op weg naar de eetzaal liep Dick in een muziektijdschrift te bladeren, het was nieuw en hij kon zijn ogen er niet van afhouden. Hij liep achteruit en hield het voor Steppo's ogen.

'Kijk, als we een eigen band regelen, moeten we zúlke versterkers hebben.'

Steppo gaf geen antwoord.

Dick keek weer in het blad en vervolgde:

'Maar daar hebben we nooit genoeg geld voor, hooguit voor een kleine vijfentwintig watts met twee ingangen. Bas en gitaar op dezelfde versterker.'

'Er is geen band en er komt geen band,' zei Steppo.

Maar Dick ging onverstoorbaar door:

'Hoewel, met maar vijfentwintig watt kan de drummer niet zo hard slaan. Hooguit met kloppers.'

'Je kletst maar door, jij. Heb je geld dan?'

'Nee, waar zou ik dat vandaan moeten halen?'

'Ik heb werk. Reclame rondbrengen voor Charlie. Je mag me wel helpen. Eén folder in elke brievenbus. Geen gesjoemel. Je krijgt één kroon per folder.'

'Dat is kleingeld.'

'Graag of niet.'

'Oké dan.'

'We beginnen na school. Doen eerst Hagalund.'

Er was spinazie met halve eieren, je kon het nauwelijks eten noemen. Toch was de rij lang. Åsa B., Helen en Tahsin stonden vóór Steppo en kletsten erop los, over Fredrik die op Vasalund zat. Dick en Dembo drongen van achteren op.

'Alleen al de gedachte aan Fredrik maakt me gelukkig en helemaal zacht vanbinnen, zeg maar,' zei Åsa B. terwijl ze voorkroop langs Eva.

Helen keek naar Eva's hoofdhuid.

'Wat een hoop roos, supergoor zeg!'

Eva ging opzij en Helen passeerde. Eva stapte geruisloos terug in de rij.

'Ik geloof dat ik verliefd ben,' zei Åsa B.

'Dan hebben we in elk geval iets gemeenschappelijks,' zei Tahsin terwijl ze Eva opzijschoof.

Steppo belandde achter Eva. Er was geen roos te zien. Ze draaide zich om, keek naar hem en stapte opzij. Maar Steppo bleef staan. Hij aarzelde. Dick stompte hem in zijn rug.

'Loop eens door.'

Maar Steppo bleef staan. Er ging een vlaag van verwarring door zijn hoofd. Uit Eva's blik sprak iets, iets waar hij geen grip op kreeg, iets wat...

Dick stapte door en Tahsin draaide zich om en zei:

'Wat doe je nou, verdomme? Ik wil háár niet achter me hebben.'

Steppo sloeg zijn ogen neer en haalde Eva in.

Eva belandde steeds verder naar achteren. Ze gaf het op en liep naar de bibliotheek. Steppo zat aan tafel en zag haar weglopen.

'Gadverdamme,' zei hij.

'Ja goor, spinazie,' zei Dick.

'Ik bedoel Eva.'

'Zij is ook goor, ja.'

'Waarom dan?'

Dick lachte.

'Wat bedoel je, verdomme?'

Steppo keek naar de eierhelften die op zijn bord in de dunne spinaziesoep dreven.

11

Gunnar zat op de bank op het schoolplein. De Cipier stond met hem te praten.

'Zou je niet eens opkrassen? Je zit immers niet meer op school, dat weet je toch wel, Gunnar?'

Gunnar keek op.

'Jij bent stom,' zei hij met speeksel in zijn mondhoek.

'Maar de school is uit voor jou, en sommige leerlingen vinden dat je...'

'Je bent stom.'

Toen pakte hij zijn vogel uit zijn jaszak. Hij aaide hem met zijn middelvinger over zijn kop en praatte tegen het dier.

'Hij is stom.'

Dick voorzag Åsa B., Helen en Tahsin van sigaretten. Hij kocht ze goedkoop van Håkan die ze waarschijnlijk ergens jatte. Steppo rookte niet, maar hing ook rond op die modderplek achter de gymzaal, net als de anderen, en wist heel goed waarom.

'Hoeveel wijn kunnen jullie scoren?' informeerde Åsa B.

'Genoeg,' zei Dick.

Steppo probeerde zo dicht bij Tahsin te blijven als maar kon, en dacht aan de brief die hij zou schrijven. Ze schoof een stukje op, en hij stapte mee.

'Wat heb jij, verdomme?' zei ze. 'Wil je soms boven op me staan?'

Steppo sloeg zijn blik neer naar de modder en wenste dat hij eens de gelegenheid zou krijgen om het haar te laten zien, om alles te laten zien, te laten zien dat hij anders dan alle anderen was.

'*Sieg Heil*,' schreeuwde iemand.

Steppo draaide zich om en daar stonden Ronny en Håkan, ze grijnsden, roken naar bier, pakten sigaretten van Dick af, en bluften:

'Shit man, we zijn dronken.'

Håkan haalde een camera uit zijn zak en schoot wat foto's. Steppo spiedde om de hoek van de gymzaal om te kijken of De Cipier niet in de buurt was. Ronny legde zijn arm om Helen heen en hing aanhalig tegen haar aan. Ze duwde hem van zich af.

'Wat nou?' zei Ronny. 'Ik ben geil.'

Steppo mocht hem niet, maar hij zou nooit iets durven zeggen. Dat zou problemen geven, dat ging altijd zo met Ronny. Het ergste was wel dat Håkan ongelooflijk vervelend werd als hij met zijn broer samen was. Hij werd dan compleet iemand anders, de eerste de beste lullige loopjongen. Hij was in staat een hondendrol te eten alleen maar om aandacht van zijn broer te krijgen. Ronny stootte Dick aan.

'Jullie hebben wijn, hè?'

Dick keek Håkan aan, hij baalde, dat zag je.

'Ja.'

'Oké, versier maar wat voor mij.'

Dembo kwam de hoek van de gymzaal om en stak een sigaret op. Hij hield zijn hand om de vlam en keek naar Ronny.

'Hoe is het met jou, Dembo?' zei Ronny terwijl zijn blik omhoog zwierf naar de grote windwijzer bij de gymzaal. 'Hoe is het met de bananenstand?'

Dembo gaf geen antwoord. Steppo wilde reageren, hij opende zijn mond maar er kwam niets uit. Dembo blies rook richting Ronny, die rakelings langs zijn gezicht ging.

'Zo zo, onze chocotrol denkt dat-ie iets voorstelt.'

Håkan lachte, legde zijn hand op Steppo's schouder en zei: 'Alle mensen komen uit Afrika, ja toch? Steppo, hoe zat het ook alweer?'

'Dat zei Dick, niet ik.'

'De mens is ontstaan in Afrika,' zei Dick. 'Het Riffdal, daar komen we vandaan.'

'Jij misschien,' zei Ronny. 'En Dembo absoluut.'

'De wetenschappers...'

'Bek dicht,' schreeuwde Ronny en hij richtte zich tot Håkan. 'Mag ik een biertje?'

Håkan haalde een blikje uit zijn binnenzak, gaf het aan Ronny en zei:

'En de apen stammen van de negers af.'

Steppo wilde ertegen in brengen dat...

'Kappen!' zei Helen. 'Dembo is oké. Oprotten. Jullie lopen alleen maar te zieken.'

'Wat loop je nou te zeiken, zwart kutwijf! Stomme...'

'Sodemieter op,' zei Tahsin.

Ronny draaide zich naar Tahsin om, hield zijn vingers bij zijn ogen en rekte ze uit tot lange strepen.

'Ga terug naar Azië, rijstkoekjes bakken, stomme spleetoog die je bent!'

Dick en Steppo die tegen de muur van de gymzaal stonden geleund, hielden hun mond. Steppo bedacht dat hij nú de kans had, hier had hij op gewacht, nú kon hij iets bewijzen. Nu zou hij zich op Ronny kunnen storten, erop los timmeren, zijn tanden eruit schoppen, hem tot moes slaan. Nu had hij de kans iets aan Tahsin te laten zien. Haar het respect te tonen dat ze volgens hem verdiende. Zijn leven voor haar op het spel zetten.

Het enige probleem was dat hij niet in staat was ook maar een vin te verroeren.

Helen raakte op dreef, ze wees en schreeuwde naar Ronny: 'Rot op jij. Je bent zelf een supersul. Dat je dat niet snapt!'

Ronny stompte Helen met beide handen tegen haar borst zodat ze haar sigaret verloor. Hij stompte haar nog eens en toen viel ze in de modder.

Dembo deed een paar snelle stappen en greep Ronny's schouders beet. Ronny wrong zich los, draaide zich om en schreeuwde terwijl hij de Hitlergroet maakte:

'Wanneer wij de macht grijpen, wordt het voor zulke bescheten rotzakken als jij de hel op aarde, reken maar!'

Dembo bleef heel rustig onder de Hitlergroet. Hij trok een vermoeid gezicht en schudde langzaam zijn hoofd. Hij zei niets, er viel niets te zeggen.

Ronny liet zijn hand weer zakken en taaide af. Håkan stond te grijnzen, niet wetend wat te doen.

Steppo ontdekte plotseling iets nieuws over zichzelf. Een waarheid waarvan hij zich lam schrok: hij was laf, een laffe schijter. Die waarheid klotste als een golf bloed door zijn lijf. Hij kwam te laat tot zichzelf en dat maakte hem misselijk. Ronny liep dwars over het schoolplein op Gunnar af die op de bank zat. Hij ging voor hem staan met het blikje bier in zijn hand.

'Jij bent een mislukkeling. Weet je dat? Zulke mensen als jij zouden niet moeten bestaan. Waar ben jij goed voor? Waarom besta...'

Gunnar keek naar Ronny op, stopte zijn hand in zijn zak en hield hem de vogel voor.

'Moet je kijken.'

De Cipier kreeg Ronny in de gaten en stuurde hem van het schoolplein af met de woorden:

'Jij zou in de dierentuin moeten zitten.'

De laatste les van die dag was wiskunde. De blonde, blauwogige invaller hielp Åsa B. Dick zwaaide met zijn arm om hulp, maar kreeg niets. Hij werd woest op de wiskundeleraar. En jaloers.

Steppo ging over zijn schoolbank liggen, liet zijn hoofd op zijn arm rusten. Hij keek naar Eva. Ze was altijd al lelijk geweest, al vanaf groep één van de basisschool: mollig, plomp en lelijk. Terwijl hij naar haar keek deed hij een ongelooflijke ontdekking. Ze wás helemaal niet lelijk. Haar bril was lelijk. Haar piekerige, bruine haar was in een compleet onmogelijk kapsel geknipt, ze droeg kleren die ze zelf genaaid had volgens veel te ouderwetse, maffe patronen. Maar lelijk was ze niet. Steppo keek de klas rond, ervan overtuigd dat hij de enige was die die ontdekking had gedaan. Steppo keek weer naar Eva. En toen naar Åsa B., Helen, Tahsin en de andere meisjes. Eva zag er écht goed uit. Hoe was dat verdomme gebeurd, en wanneer?

Eva merkte dat hij naar haar keek. Steppo draaide snel zijn hoofd terug en legde zijn voorhoofd op de bank. Dick pakte een stoel en ging naast hem zitten. Hij gooide het wiskundeboek op tafel en wees op een som.

'Help.'

Steppo overwoog eerst om over zijn ontdekking te vertellen. Dat Eva misschien wel de mooiste meid van de klas was. Als je maar op de juiste manier keek en met een beetje fantasie. Maar als zo'n bewering zou uitlekken, zou die hem belachelijk maken, en hij kon zich zó voorstellen hoe hij de rest van het semester genoemd zou worden, of zijn hele leven. Uit dat gat zou hij nooit meer opkrabbelen. Hij hield zijn mond.

'Moet je deze rotsom zien,' zei Dick. 'Ik word er gek van. Die is geschreven om mij te kwellen, alleen mij.'

Dick las hardop:

In één jaar tijd werden er 129,4 miljoen kinderen geboren op aarde. Hoeveel werden er gemiddeld per seconde geboren? Rond af naar een heel getal.

Dick keek naar Steppo:

'En dan is al het kapotjesgeneuk niet eens meegerekend.'

12

De flats in Hagalund waren hemelsblauw. Misschien hadden degenen die Hagalund hadden laten bouwen plotseling ingezien wat ze op hun geweten hadden en vervolgens geprobeerd de huizen onzichtbaar tegen de hemel te maken. Dat was mislukt. De huizen verrezen als enorme rotswanden met grotopeningen van glas.

Het woei hard tussen de flats door. Steppo en Dick verdeelden de stapel reclamefolders. Sommige vlogen weg in de wind, onmogelijk te vangen. Dat was best gek. Beneden, op de Råsundaweg of in Solna Centrum of op het schoolplein kon het windstil zijn, maar hierboven woei het altijd.

Een bezoeker kon in Hagalund gemakkelijk verdwalen. De betonnen, vierkante pleinen tussen de huizen waren identiek en het was moeilijk uit te maken op welk plein je je bevond. Er waren wat schommels, een zandbak, een klimrek, een glijbaan en speelhuisjes waarin de kinderen speelden en plezier maakten. Alles was rechttoe rechtaan gebouwd, langs een liniaal getrokken potloodlijnen die werkelijkheid waren geworden. Alles was in één keer uit de grond gestampt, alles behalve de kerk. Die paste niet in het plaatje. Eens, lang geleden, was de grote heuvel van Hagalund bezaaid geweest met gammele, houten huisjes. De kerk was gebouwd bij een stad die nu niet meer bestond. Een kerk kun je niet slopen, dus die stond nu weggemoffeld in de schaduw van de blauwe flats.

Bij Zweeds hadden ze opstellen moeten schrijven over hoe

ze woonden, over hun huis, over hun thuis. Degenen die in de villa's op de Charlottenburgerweg woonden, hadden geschreven over de sneeuwklokjes aan de zuidkant in de lente, over hun konijnenhokken en wanneer ze hun vader hielpen de auto te wassen of wanneer hun eigenhandig gepote aardbeienplantje zijn eerste aardbei kreeg.

Degenen die in Hagalund woonden hadden over heel andere dingen geschreven. Onder andere over de uitslaande brand die uitbrak in de liften, waardoor de trappenhuizen vol rook hadden gestaan. Of over een dag waarop je je moeder in het washok in de kelder hielp, of over de bandytoernooien, niet op het ijs, maar in de parkeergarages onder de grond. En over de oorlogen op de binnenplaatsen.

Steppo en Dick namen om en om een voordeur. Ze hadden een stevige klus te klaren. Duizend traptreden en in elke brievenbus een folder. Steppo en Dick hadden het eerder gedaan, voor de Vivo en de Co-op.

De lift in, omhoog naar de dertiende verdieping. Eén folder in elke bus. Dan via de branddeur en de wenteltrap naar de twaalfde. Eén folder in elke bus. Hup door de branddeur, de wenteltrap af. Elfde etage, één folder in elke bus. Pang, pang, pang, pang. Omlaag naar de tiende. En weer naar de wenteltrap.

Na drie voordeuren leek de stapel nog geen greintje geslonken. De verleiding was groot om het nu op te geven. Veel vrienden van Steppo die hun geluk in een baantje beproefden, deden dat. Maar hij wist dat als je gewoon volhield, er een breekpunt kwam, en na dat punt stond de tijd stil, werd je een machine. Maar je moest wel tot aan de rand gaan, en eroverheen. Als je het tot dat punt klaarspeelde, kwam de vaart erin en ging het werk steeds vlotter.

Op naar de volgende voordeur.

Elke verdieping had haar eigen geur. De branddeuren voorkwamen dat de luchten zich vermengden. Er was een knoflookverdieping, een sigarettenrookverdieping, een sigarenrookverdieping, een parfumverdieping, een rotteluchtverdieping, een poepluchtverdieping, een wierookverdieping, een varkensworstverdieping, absoluut álle mogelijke geuren van de wereld kon je hier ruiken. Hagalund was een geurkalender, je opende een branddeur en een nieuwe lucht kwam je tegemoet.

Verder met de stapel papier, de wenteltrap af. Het gebruik van de lift voor iets anders dan transport omhoog was onpraktisch. De liftdeuren kon je niet blokkeren, dus dan stond je daar maar te wachten en kwam het nooit af. Er zat niets anders op dan je benen te laten lopen.

Eén folder in elke bus. Pang, pang, pang, pang, en weer naar de wenteltrap. Een ronde lager, pang, pang, pang, pang, en hup naar de volgende voordeur.

Er vloog een flatdeur open en een man in onderbroek schreeuwde, terwijl hij het A4-tje verfrommelde:

'Verdomme nog aan toe, ik hoef die klererreclame niet!'

'Maar,' zei Steppo, 'dit is...'

'Kun je niet lezen? Kom hier en lees eens wat er staat, hè, hier op de deur. Staat daar soms dat ik die klererreclame wil hebben?'

GÉÉN RECLAMEDRUKWERK!

'Maar Charlie heeft een pizzaoven gekocht.'

'Sodemieter toch op!'

Hij gooide de prop papier naar Steppo en smeet zijn deur dicht. Steppo wachtte tien seconden, stopte een nieuwe folder in de bus en spurtte naar de wenteltrap.

Dick stond bij de ingang van de flat van Åsa B. Ze woonde op de zevende verdieping. Dick begon op de dertiende. Hij kon zich maar moeilijk voorstellen dat er achter elke deur mensen woonden. Hij opende een brievenbus en stelde zich voor hoe daarachter allemaal keukenspullen waren verzameld – glazen, vorken, lepels, messen. En iedereen had een radio, een tv, banken, zeep, tandenborstels, condooms, puree uit een pakje. De duizenden spullen die je thuis had. En in Hagalund waren duizenden flats. Dick werkte verdieping na verdieping af, en achter elke deur had je zo'n verzameling spullen, met kleine variaties. Dezelfde dingen, maar nooit exact gelijk. Achter elke deur werd een uniek leven geleid. Moeilijk te geloven, heel moeilijk, maar dat het op elke verdieping anders rook, was het bewijs. In een dode flat zou het overal hetzelfde hebben geroken.

En toen kwam de gedachte in hem op dat er precies daarbinnen, juist achter die deur, een stel lag te neuken. En toen die gedachte zijn hersencellen te pakken kreeg, was het gedaan en begon de film te draaien. Er kon wel eens wat variatie in zitten, maar het basisgegeven was gelijk. Åsa B. had de hoofdrol. Hij zag haar huid. Kippenvelbultjes op haar billen. Zijn hand eroverheen. En over haar grote borsten. Op de wenteltrap werd het een zootje in zijn kop. Dicks tempo daalde, hij kreeg het ineens heel heet. Steppo had gezegd dat hij het ook nog niet gedaan had. Natuurlijk had hij dat, want niemand zou toegeven dat hij het niet gedaan had als hij het niet had gedaan. Heb je het wel gedaan, dan kun je je vriend troosten door te zeggen dat je het niet hebt gedaan. Dat is groots. Maar niemand zou zeggen dat hij het niet had gedaan als hij het niet gedaan had.

Dick raakte in paniek, een mix van geilheid en angst. Dit moest wel een ziekelijk proces zijn. Hij moest hier iets aan doen, zichzelf voor eens en altijd genezen. Hij zou gewoon bij Åsa B. aanbellen en zeggen dat hij geil was, hier en nu, en dat hij van haar hield. En dat hij het nog niet had gedaan omdat hij het met haar wilde doen, of móést doen, anders... Bidden en smeken, en zeggen dat hij niet langer wilde leven, hij móést echt verkering met haar.

Zijn lichaam kookte. Zijn gedachtes zwommen kleverig door zijn hoofd. Eén folder in elke brievenbus. Omlaag naar de negende. Ze zou het ermee eens zijn. Zo duidelijk als wat. En waarom niet? Het was zo simpel, gewoon een kwestie van vragen. Laffe jochies krijgen dat nooit voor elkaar. Hij was niet laf. Achtste verdieping. Ze zou hem meenemen naar haar kamer. Ze zouden dat doen waar de mens voor was geschapen.

Zevende verdieping.

Hij stond voor de deur van Åsa B. Hield een trillende vinger op de deurbel. Hij telde tot vijf, checkte het kruis van zijn broek. Haalde zijn vinger weer van de bel en trok zijn trui zo ver mogelijk omlaag.

Toen belde hij aan.

De moeder van Åsa B. deed open. Ze was groot en staarde hem aan.

'Jaha, zeg het eens?'

'Is Åsa thuis?'

'En wat wil je van haar dan?'

'Uh niks, iets met huiswerk.'

De moeder draaide zich om en schreeuwde:

'Er is hier iemand op zoek naar jou.'

'Wie?' riep Åsa B.

De blik van de moeder gleed weer naar Dick.

'Wie?'

'Dick.'

De moeder draaide zich weer om en riep:

'Dick.'

'Oh. Wat wil hij?'

De moeder keek Dick aan.

'Wat wil je?'

'Iets met huiswerk, dat zei ik net.'

Åsa B. kwam, de moeder liep naar binnen.

'Wat is er, verdomme?' zei Åsa B.

Dicks hoofd begon te tollen. Hij reikte haar een folder aan.

'Alleen maar dag zeggen, en Charlie heeft pizz...'

'Idioot,' zei Åsa B. en ze deed de deur dicht.

Dick stopte een folder door haar brievenbus en liep de wenteltrap af. Er waren geen problemen meer. De film was afgelopen. Hij was een idioot.

Steppo was bij flat nummer vijftien. De lift stopte met een lichte deining op de dertiende verdieping. Het rook er naar pannenkoeken. De vermoeidheid begon toe te slaan, en hij had pijn in zijn been, de wond klopte en brandde. Maar hij werkte door. Eén folder in elke brievenbus, pang, pang, pang, pang, dan weer de deur door naar de wenteltrap. Alle mensen achter de deuren kregen een bericht. Charlie had een pizzaoven. Dat was nou net wat ze moesten weten. Duizend stappen. Het draaide voor zijn ogen. De trap was van geslepen steen, met lichte en donkere vlekken. Het patroon danste op zijn netvlies.

Hij rustte even uit. Ging op de trap zitten. Leunde met zijn slaap tegen de muur. Hij kon door een decimeter brede spleet tussen de muur en de trap naar beneden kijken, helemaal tot op de begane grond. Maar daar was het donker, de lampen waren vast kapot. Steppo verzamelde speeksel en spuugde. Het duurde een hele poos voordat de klodder de begane grond bereikte, er klonk een zwak *sjlusj*. Hij keek omlaag in het donker en dacht aan zijn droom.

Die had een nest in zijn hersens gebouwd, vormde een continue ruis op de achtergrond. Het was geen echte nachtmerrie, eerder een achtervolging. Wat was dat voor grot? En hij stond daar zomaar, in het laatste avondlicht. Een schemerig, warm licht. Het was doodstil, geen zuchtje wind. Hij was niet van plan de grot binnen te gaan, wilde daar alleen maar staan en de duisternis in kijken. Plotseling vloog de dode meeuw naar buiten. Werd eruit gesmeten. Door wie? Was hij te laf om naar binnen te gaan?

Steppo stond op en ging weer verder. Hij werkte zich de flat door naar beneden en de voordeur uit.

Daar stond Dick.

'Ik kan niet meer,' zei die. 'Ik geef het op, dit is totaal zinloos. Eén kroon per brievenbus, hè? Er moeten makkelijker manieren zijn.'

'Ik doe nog wat flats,' zei Steppo.

Dick taaide af.

Steppo ging door. Zijn dij voelde niet goed. Flat nummer zeventien zou de laatste zijn. Hij stapte op de dertiende verdieping uit. Zijn tempo lag laag, hij deed het kalm aan. In de trappenhuizen rende hij niet langer, hij liep. Zijn benen waren stijf. Steppo stond stil en luisterde. Iemand huilde, ergens beneden. Hij liep niet door naar een volgende verdieping, maar naar beneden.

Ze zat tussen de elfde en de tiende, en verborg haar gezicht in haar handen. Haar lange broek lag op de trap, haar onderlijf was bloot. Ze was nog best jong, een jaar of zeven? Het meisje rilde alsof ze het koud had. Ze had een beteuterd konijn aan de lijn. Steppo ging op zijn hurken achter haar zitten.

'Wat is er gebeurd?' vroeg hij.

Ze gaf geen antwoord, huilde alleen maar. Steppo dacht eerst dat ze ineens had moeten plassen en het niet meer kon ophouden tot ze thuis was. Dat ze in haar broek had geplast en daarom in tranen was.

'Woon je hier?'

Ze keek Steppo met een betraand, snotterig gezicht aan. Ergens in de diepte klonken snelle voetstappen.

'Hij dwong mij, anders zou hij Stamper slaan.'

Ze nam haar konijn op schoot.

'Wie?'

'Hij liet zijn piemel zien, maar ik wilde hem niet zien en toen...'

'Wat? Verdomme!' zei Steppo terwijl hij langs de buitenkant van de wenteltrap omlaag keek. Ver beneden rende iemand weg, hij zag een hand op de leuning. Rond, rond, rond, misschien zes, zeven verdiepingen lager.

'Hij was eng en had hoorntjes op zijn voorhoofd. Toen pakte hij mijn slipje. Het was net nieuw, met Snoopy erop.'

Steppo rende weg. Nam elke wenteltrap in een paar stappen. Keek over de rand. Rond, rond, maar niet snel genoeg, hij zou het nooit halen. Zijn benen waren stijf als stelten. Hij viel en verloor alle reclameblaadjes, ze dwarrelden langs de trap naar beneden. Een plaatijzeren deur viel dicht, in de diepte. Steppo liet de folders liggen en liep door. Een minuut later wierp hij zich door de deur naar buiten. Maar het pleintje tussen de flats lag er verlaten bij, was helemaal leeg, op de harde wind na.

Hij rende als een kip zonder kop, overal om zich heen spiedend. Er zaten twee kleintjes te schommelen, hij vroeg hun of ze iemand hadden gezien.

'We mogen niet met vreemde mannen praten,' zei de ene.

'Hebben jullie dat gedaan? Hebben jullie zo iemand gezien?'

'Jij bent een man.'

'Ik ben geen man,' zei Steppo.

'Dat ben je wél.' En toen knepen de kinderen hun monden weer dicht tot streepjes.

Steppo onderzocht de washokken in de kelder. Een vrouw sleepte vier papieren tassen met wasgoed naar binnen. Nee, ze had niemand gezien. Steppo liep weer de flat in en nam de lift omhoog. Het trappenhuis was leeg, het meisje was weg. Op weg naar beneden raapte hij de reclameblaadjes bij elkaar.

Woonde ze hier? Of was ze meegelokt? Er zaten tweeënvijftig appartementen aan één trappenhuis. En hij wist niet eens of ze aan dit trappenhuis woonde.

Het politiebureau van Solna lag aan de Solnaweg recht tegenover het Råsundastadion.

Er was een systeem met nummertjes. Steppo trok een papiertje, nummer tweeëndertig, en ging op een bruine kunstleren bank zitten. Wat had hij eigenlijk gezien? Een hand, acht verdiepingen lager, op een leuning. En een meisje van wie hij niet eens wist hoe ze heette of waar ze woonde.

Er zaten veel mensen te wachten. De politieagenten hielpen achter een balie mensen bij wie was ingebroken, in hun auto of in hun kelder, of die gewoon hun portemonnee hadden verloren. Aan bureaus achter de balie zaten politieagenten te schrijven en te praten aan de telefoon. De lucht gonsde van de gesprekken. Een paar agenten hadden het over het lokale voetbalduel van die avond, hoeveel gelazer dat weer zou geven. Dronkenschap en relletjes. Gewone mensen die op hun beurt wachtten, praatten met elkaar over hoe triest het wel niet was, en wat een inbreuk op je privacy als er bij je werd ingebroken.

'Een of andere klerelijer heeft in mijn spullen lopen graaien. Ik durf bijna niet meer in mijn eigen flat te zijn.'

De cijfers schoten haperend op. Steppo werd nerveus. Hij kon zijn benen niet stilhouden. Nog twee nummers te gaan, hij begon hem te knijpen. Hij had ooit een damesfiets gestolen en blauw geschilderd. Hij had een keer vuurtje gestookt in een afvalbak bij Solna-station. Een cassettebandje gejat bij Åhléns. Was er nog iets? Toen schoot, met een dreun, de autodiefstal door zijn hoofd. Een groot, zwart, bonkend monster van schuld. Zou hij 'm smeren? Maar dat zou misschien in de smiezen lopen.

Nog één nummer te gaan. Het was een man die zijn buurman wilde aangeven wegens bedreiging met moord.

Steppo rolde zijn papiertje op. De moed zakte hem in de schoenen. Het zweet brak hem, op de kunstleren bank, aan alle kanten uit. Het was immers zinloos. Hij was getuige geweest van iets wat niet viel te bewijzen. Hij werd door angst overvallen, dit was geen leuke plek. Maar het meisje was blootgesteld aan iets afschuwelijks. Zíj was bang. Hij was gewoon laf. Het weinige wat hij kón doen, moest hij doen.

Er kwamen meer mensen binnen die aangifte wilden doen. Eentje had een enorm blauw oog. Ze trokken nummertjes en moesten staande wachten, alle zitplaatsen waren bezet.

Steppo probeerde te bedenken wat hij moest zeggen. Misschien had hij iets belangrijks gezien. De man had zwarte handschoenen aan. Dat het een man was, was overduidelijk. En hij jatte haar slipje met Snoopy erop. Meer niet. Totaal waardeloos.

Steppo was aan de beurt en werd te woord gestaan door een vrouwelijke politieagent die glimlachend zei:

'En, waarmee kan ik je van dienst zijn, jongeman?'

Hij aarzelde, wist niet echt hoe hij het moest brengen, maar begon:

'Ik was reclamefolders aan het rondbrengen. En toen zat er een meisje te janken op de trap. Er was een vent die zijn lul had laten zien en toen pikte hij haar nieuwe Snoopy-slipje. En...'

Iedereen om hem heen verstomde. Mensen die zaten te wachten om hun auto- en kelderinbraken of hun klereburen aan te geven, staarden hem aan. De politieagenten aan de bureaus achter de balie staakten waar ze mee bezig waren en richtten hun blikken op hem.

'Ik bedoel geslachtsorgaan, sorry, penis, of...'

De vrouwelijke politieagent pakte de telefoon en toetste een kort intern nummer in:

'Hallo Stål. Er staat hier een jongen die ik naar je toe stuur, hij heeft misschien iets interessants te melden. Hoe hij heet?'

Ze keek Steppo aan:

'Hoe heet je?'

'Steppo, of Stefan.'

'Laten we zeggen Stefan, dat andere klinkt meer als een hond. Je loopt naar de deur daar rechts, en door de gang daar-achter. Helemaal achterin zit een man genaamd Jan Åke Stål.'

Er zat een man achter een bureau aan de telefoon. Hij wees op een stoel en Steppo ging zitten. Jan Åke Stål was potig en groot, dat kon je zelfs zien als hij zat. Hij had een grof gezicht en een ronde neus. Steppo keek nerveus de kamer rond. Die stond vol typische kantoormeubelen van licht beukenhout. Maar er waren ook wat persoonlijke dingen. Aan de muren hingen foto's van een man die in een waadbroek in rivieren en stroompjes stond en met een blij gezicht zalmen en zalmforel-len omhooghield. Dezelfde man die achter het bureau aan de telefoon zat. Er hingen ook een paar ronde schilderijtjes met klassieke zalmvliegen, in elkaar geknutseld met veren van exo-tische vogels.

Jan Åke Stål was visser, dat stelde Steppo gerust. Er hing iets vriendelijks en ongevaarlijks over volwassenen die zo speels waren dat ze het spannend vonden om een stukje lokaas in het water te werpen om iets te vangen. Ook al werden ze mis-schien belachelijk gevonden.

De man achter het bureau legde de hoorn op het toestel en zei 'hoi' met een vriendelijke blik.

'Hoi,' zei Steppo.

'Tja, ik ben rechercheur en ik werk met...'

Steppo keek langs de politieagent, naar de ingelijste vliegen aan de muur. De politieagent draaide zijn hoofd om en keek met hem mee.

'Ja, die zijn prachtig, zuivere kunstwerken. Maar ik vis niet met klassiek gebonden zalmvliegen, die zijn veel te mooi, en te duur. Nee, in het water zijn de meer eenvoudige haren vliegen beter. Leveren meer vis op.'

'Ah,' zei Steppo.

'Er bestaat een klassieke zalmvlieg met maar liefst tweeënvijftig onderdelen, het moet een heidens karwei zijn om er zo een in elkaar te fröbelen. Volgens een oud Engels patroon.'

'*Jock Scott*,' zei Steppo.

De politieagent keek stomverbaasd, en Steppo antwoordde: 'Mijn vader en ik gingen 's zomers vissen. We hadden een zomerhuisje en een boot bij de Änges, een zijtak van de Kalix-rivier. We bonden altijd vliegen. Maar het huisje is verkocht.'

'Aha, maar hoe heet die dan?'

Hij wees naar een vlieg die van een oranje- en zwartgestreepte vleugel van een goudfazant was gemaakt.

'*Durham Ranger*, en die daar rechts is een *Thunder and Lightning*.'

'De Änges? Kun je daar goed vissen? Ik ga altijd naar Noorwegen, naar Stjørdal en Orkla.'

Jan Åke Stål draaide zich om en wees naar een landkaart aan de muur.

'Die zalm daar is uit de rivier Stjørdal. Die woog 12,7 kilo. Afgelopen zomer. Man man, wat een reis!'

De politieagent raakte nu echt op dreef. Gebaarde met zijn armen, liet de maten van denkbeeldige vissen zien en worstelde met een onzichtbare vlieghengel.

'En twee jaar geleden was ik in Alaska. Wat een visparadijs! Ik ving vierentwintig zalmen in één week tijd. Ongelooflijk! Twee daarvan wogen meer dan tien kilo en toen...'

Jan Åke Stål zweeg en krabde verward in zijn oor. Er kwam wat oorsmeer aan zijn pink en hij keek ernaar.

'Tja, dit is geloof ik niet waar we over moeten praten. Jij hebt iets gezien.'

'Klopt, ik was reclamefolders aan het rondbrengen en toen zat er een meisje op de trap te huilen. Iemand had... Ze zei dat hij eng was en hoorntjes op zijn voorhoofd had en wilde dat...'

Steppo hoorde zichzelf praten. Hij had nota bene niets gezien, hij snapte niet waarom hij hierheen was gekomen.

Jan Åke Stål leunde over zijn bureau en zei:

'Had hij een duivelsmasker op, zo'n ding voor een gemaskerd bal?'

'Ik heb eigenlijk niets gezien, hij was al een stuk vérder naar beneden. Had haar slipje gejat. Maar ze zei "hoorntjes op zijn voorhoofd".'

'Oh, shit,' zei Stål. 'Dit begint vervelend te worden. Hij is afgelopen zomer als aap begonnen. Rende eerst alleen maar wat rond om zijn zaakje te laten zien. Maar hij gaat steeds verder, Joost mag weten waar dit eindigt.'

Jan Åke Stål wilde weten hoe het meisje heette en waar ze woonde. Het precieze tijdstip, in welke flat het was gebeurd en hoe de man was gekleed, en zijn lengte.

Steppo kon alleen maar vertellen in welke flat hij het meisje had gevonden.

'Heeft hij haar aangerand of liet hij alleen zijn zaakje zien?'

'Weet ik niet.'

'Iets anders, maakt niet uit wat. Een detail.'

'Ze had een konijn, zo een met treurige oren, en het was een Snoopy-slipje.'

Jan Åke Stål krabbelde moeizaam in een blok wat Steppo zei en mompelde:

'Het enige signalement dat we hebben is wel een beetje apart, maar onbruikbaar voor onze rechercheurs.'

'Een scheve stijve,' zei Steppo.

'Ja,' zei Jan Åke Stål en hij lachte plotseling. 'Verdomme, ik lach, maar dit is zwaar klote. Hij is ook een goeie hardloper. Een verdomd goeie. Een lange, donkere jas. Iets anders hebben we niet. Maar hoe wist jij dat trouwens, van die scheve stijve?'

'Heb ik op school gehoord.'

'We gaan hiermee langs de deuren om te kijken of we dit meisje kunnen vinden. Geef me je telefoonnummer voor als er nog iets is.'

Steppo schreef schouderophalend zijn telefoonnummer op en stond op om weg te gaan.

'Ik heb niets gezien, het was overbodig om hierheen te komen.'

'Absoluut niet. Dit kan ergens goed voor zijn, je weet maar nooit. Het kleinste flutdingetje kan van belang blijken. Bovendien, als jij niet op die trap was gekomen dan... ja.'

Steppo zei gedag en ging de kamer uit. Toen hij halverwege de lange gang was, stak Jan Åke Stål zijn hoofd om zijn kamerdeur en riep:

'Hé, doe de groetjes aan je vader en zeg hem dat hij de Lögde in Västerbotten eens moet proberen. Dat is een parel van een rivier en er vissen maar weinig mensen daar.'

'Hij is dood.'

'Ai, shit. Sorry.'

'Dat geeft niets.'

13

Steppo zat aan zijn bureau. Hij probeerde al dagenlang een brief te schrijven, had gedacht dat dat heel eenvoudig zou zijn. Gewoon de juiste woorden zó aan elkaar haken dat Tahsin ze begreep. In een paar zinnen. Maar het was eenvoudiger geweest om een opstel te schrijven over het hele leven van Napoleon, van de wieg tot aan het graf. Of over de Franse Revolutie. Hij vond de woorden die nodig waren niet, betwijfelde of ze überhaupt wel bestonden.

Steppo las wat hij had geschreven. Het was bedroevend. Hij scheurde de bladzijde uit het blok, gooide hem weg en begon opnieuw. Hij wilde Tahsin laten zien wie hij was en wat hij voelde. Het zou rechtstreeks in haar hart belanden. Hij zag levendig voor zich hoe ze hand in hand over de zomergroene helling in het Hagapark naar beneden holden. Vanaf de Kopertent omlaag naar het zonneglinsterende water. Hoe ze gilden en lachten en de zwanen van de oever verjoegen.

Hij schreef, kwam tot een goed begin, beet op zijn pen en keek uit het raam. Het regende. Volgens het Zweeds Meteorologisch Instituut zou deze herfst wel eens de natste van de hele eeuw kunnen worden. Op veel plaatsen in het land waren overstromingen. Steppo zag de regen niet, hij zag hoe hij en Tahsin elkaar achterna joegen, de heuvel op naar de Echotempel. Het Hagapark stond in bloei en de vlinders fladderden om hen heen. Hij merkte niet dat de deur openging en dat zijn moeder de kamer binnenkwam.

'Hé, kijk eens,' zei ze en ze zwaaide met een bericht. 'Het pakket van Ellos is aangekomen.'

'Wat?' zei Steppo en hij legde zijn armen over de brief.

'Het pakket is aangekomen. Wil jij het even ophalen?'

Natte duiven zaten op het plein. Buiten was het uitgestorven, en in het postkantoor was ook al geen mens te bekennen. Hij overhandigde het bericht en kreeg het pakket mee. Steppo haastte zich door de regen naar huis.

In de doos zaten honderden losse kristallen, gewikkeld in fijn zijdepapier. Een frame van messing, vijf cirkels die met dunne kettingen aan elkaar moesten hangen. En dan moest het geheel met behulp van een rol koperdraad worden opgetuigd met kristallen.

Het was een bouwpakket.

Alles ging altijd fout.

Zijn moeder begon te huilen. De kristallen kroonluchter was veel kleiner dan ze had gedacht. Ze haalde de catalogus en vergeleek ze.

'Maar hij moet nog in elkaar worden gezet,' zei Steppo. 'Hij wordt vast groter, als hij klaar is.'

'Verdomme, wat stom,' zei ze. 'Hoe heb ik zo stom kunnen zijn? Ik krijg dit nooit voor elkaar.'

Steppo keek in de doos met onderdelen. Hij wist niet wat ze zich had voorgesteld. Misschien dat ze een kant-en-klare kristallen kroonluchter aan het plafond in de huiskamer zouden komen monteren?

'Ik fiks het wel,' zei Steppo. 'Ik zet hem in elkaar.'

Ze stopte met huilen.

Steppo bracht de doos naar de woonkamer en liep alles grondig door. Er waren kleine en grote kristallen, sommige rond, sommige langwerpig. Een deel was plat.

De lichtarmatuur moest aan het frame worden vastgemaakt, dat was niet moeilijk. Vanuit het frame moesten er vervolgens vijf sierlijke armen met houders voor kaarsen komen. Tot zover was het makkelijk te begrijpen. Toen het frame in elkaar gezet en klaar was, ging hij op een stoel staan en hing het aan het plafond. Nu moesten de kristallen op hun plek komen. Zijn moeder ging op de bank zitten en volgde zijn werk.

'Denk je dat het mooi wordt?'

'Natuurlijk,' zei Steppo. 'Een paleis is er niets bij!'

Hij graaide tussen de kristallen. Hield er één omhoog en draaide die voor zijn oog rond. Het glas was helder als het zuiverste water en het licht werd gebroken in wonderlijke kleurpatronen – een zee. Ze was een warme zee vol vissen met prachtige schubbenkleden – dat zou hij schrijven.

Steppo reeg kristallen aan het koperdraad en dacht aan Tahsin. Kristal na kristal belandde op zijn plek. Hij rekte zich uit op de stoel en priegelde ze aan het frame. Hij zou schrijven en zij zou het begrijpen. De kristallen rinkelden en klingelden tegen elkaar.

'Pas op dat je niet te pletter valt.'

'Het komt goed.'

'Hij zag er anders in de catalogus wel een stuk groter uit. Ze bedonderen de boel gewoon.'

'Wacht maar af, tot hij klaar is.'

'Dit is de stomste koop die ik ooit heb gedaan. Duur. We sturen hem terug.'

'Nee, ik zet hem in elkaar en hij wordt vast en zeker mooi.'

'Denk je dat echt?'

'Wil je nou een kristallen kroonluchter of niet?'

'Ik weet het niet.'

'Ik fiks het voor je. Het spreekt vanzelf dat je een...'

Ze begon te huilen en verdween in haar slaapkamer.

Steppo pikte de kristallen één voor één op en bedacht dat er een waarschuwing in de catalogus zou moeten staan: dat gevoelige mensen niet bij een postorderbedrijf zouden moeten kopen.

Hij ging tot laat in de avond door, maar kreeg het niet kloppend. Er bleven een hele hoop kleine kristallen over. Terwijl de grote, waarvan er tot de onderste laag voldoende zouden moeten zijn, al op waren. Steppo controleerde het aan de hand van de foto in de catalogus. Hij had ze verdomme helemaal verkeerdom gehangen! Hoe kon hij nou zo'n oen zijn? Hij peuterde elke steen er weer af, het frame hing er opnieuw kaal bij. Hij kon niet meer, zijn armen waren lam. Hij zou morgen wel doorgaan.

Hij liep zijn kamer binnen, ging aan zijn bureau zitten en schreef de brief af. Probeerde op te roepen hoe ongelooflijk veel hij van haar hield, dat ze mooi was, dat hij één met haar wilde worden, met haar wilde lachen, leven en lachen en ademen. Hoe zijn hart bonsde wanneer hij haar zag, hoe de gedachten aan haar zijn leven zinvol maakten. Dat de dagen waarop zij niet op school was, dode dagen waren. Dat ze een warme zee was met eindeloos mooie vissen met schubbenkleden in alle kleuren van de regenboog.

Hij deed de brief in een envelop en likte die dicht. Hij voelde zich tevreden toen hij in bed kroop. Alles was gezegd, ze zou het begrijpen.

Het gerucht deed 's ochtends al de ronde. Het gonsde door de hele school. Twee meiden uit de brugklas zouden zijn lastiggevallen door een seksmaniak. Niemand scheen te weten welke meiden het waren. Sommigen beweerden dat ze in 1c zaten, maar anderen waren er zeker van dat het 1b was. In de tweede korte pauze vertelde het gerucht dat ze een kelder in waren gedwongen en al hun kleren hadden moeten uittrekken. Bij de lunch waren ze verkracht.

'Dat er zulke zieke mensen bestaan,' zei Tahsin.

Ze zaten te kaarten in het overblijflokaal. Steppo zat recht tegenover haar, met de brief in zijn zak. Hij had hem haar direct in de eerste les moeten geven, maar hij had geaarzeld. Toen probeerde hij hem haar in de pauze te geven, maar hij wilde dat ze alleen was. En dat was ze dus niet. Åsa B. had hoogstens drie meter van Tahsin af gestaan. Die twee zaten aan elkaar vast. En inmiddels was het niet meer waarschijnlijk dat hij nog voldoende moed zou kunnen verzamelen. De brief begon op een belachelijke actie te lijken. Zou hij hem haar stiekem onder tafel kunnen toestoppen? Maar hoe kon hij haar laten begrijpen dat niemand anders het mocht zien, het mocht weten? Hij frummelde aan de brief in zijn zak, zijn hoofd zat vol gedachten en hij hoorde niet waarover de anderen praatten.

'Iemand zegt dat ze vermoord zijn,' zei Åsa B. 'Lustmoord.'

'Dat geloof ik niet,' zei Dick.

'Toch is het waar,' zei Tahsin.

'Niet dat ze vermoord zijn.'

'Nee, maar er rent wel een gestoord type met een duivelsmasker rond. Lina uit 1A heeft hem zelfs gezien.'

Steppo werd wakker.

'Die heb ik ook gezien.'

Iedereen rond de tafel keek hem aan.

'Hoe zag hij er dan uit?'

'Ik heb alleen zijn hand gezien.'

Ze hadden biologie. Steppo lag over zijn bank en keek naar de oehoe. Hij kon de brief misschien in Tahsins tas moffelen. Of een postzegel kopen en hem posten. Nee, hij wilde haar in de ogen kijken wanneer ze hem kreeg. Hij voelde zich duizelig, alsof hij niet aanwezig was. De hele schooldag verliep als in een dikke mist.

Vlak voor de les was afgelopen ging Biologie-Bengt door het lint: de havik, de dwergvalk en een microscoop waren weg.

In de volgende pauze liep De Cipier al door de gangen en sommeerde alle leerlingen hun kasten open te doen. Hij vond massa's sigaretten, pruimtabak en een stuk of wat pornoblaadjes. Maar geen dwergvalk of havik. Steppo snapte niet wie er in hemelsnaam stoffige, oude vogels wilde hebben.

'Maak je kast open,' zei De Cipier.

'Er is toch niemand die zulke rotzooi wil hebben.'

'Weet je wel wat zo'n roofvogel waard is?'

'Nee.'

'Ze zijn wettelijk beschermd, dus er worden geen nieuwe exemplaren opgezet. Voor de exemplaren die er nog zijn betalen verzamelaars klereveel geld. Maak open.'

Steppo maakte zijn kast open. De Cipier vond alleen schoolboeken, pennen en Charlies pizzareclame.

'En er zijn niet alleen vogels verdwenen, verdommenogantoe, álles verdwijnt op deze school.'

De laatste les was godsdienst, en Gun vertelde:

'Sommige religies hebben één God, andere hebben er meer. Maar ze zijn in zekere zin wel gelijk. De gulden regel die Jezus in de Bergrede formuleerde, geldt in wisselende varianten in de meeste godsdiensten.'

De leerlingen gaapten, sommige lagen over hun bank. Maar ze hielden zich in elk geval koest. Mogelijk kwam dat door het gebrek aan voedingstoffen in het schooleten en het gebrek aan zuurstof. Tijdens de laatste les was het altijd stil.

'Is er iemand die zich de gulden regel in de Bergrede kan herinneren? Jij, Dick?'

'Ja, je moet aardig tegen elkaar zijn, of zo.'

'Zo ongeveer wel ja. Die luidde zo: *Wat gij niet wilt dat u geschiedt, doet dat ook een ander niet.* In het hindoeïsme zegt men: *Doe anderen niet iets aan wat jou pijn zou doen als het jou werd aangedaan.* Het boeddhisme zegt: *Plaag anderen niet met dat wat jouzelf kwelt.* De islam zegt: *Iemand die zijn broeders niet toe-wenst wat hij zichzelf toewenst, is niet rechtzinnig.* En het joden-dom zegt: *Doe anderen niet aan wat je niet wilt dat anderen jóú aandoen.*

Gun keek naar de vermoeide klas.

'Het is beslist mooi dat de regel over de hele wereld bestaat. In alle godsdiensten.'

'Die geldt alleen binnen de groep,' zei Håkan.

'Wat bedoel je?'

'Christenen mogen joden doodmaken die Arabieren mogen doodmaken die dan weer...'

Gun luisterde niet meer naar hem, ze hield het boek om-hoog en zei:

'Nu gaan we met iets nieuws beginnen. Geloof en leven in Babylon. Jullie krijgen een papier met opgaven en dan ga je zelf in je boek zoeken. Ik ben vergeten kopieën te maken. Is er iemand die dat even voor me wil doen?'

'Maar zo is het toch?' zei Håkan. 'Dat was bij de kruisridders al...'

'Tahsin,' zei Gun. 'Kun jij even met het papier met opgaven naar de conciërge gaan om het te laten kopiëren? Doe er maar vijfentwintig.'

Tahsin pakte het vel papier en liep weg.

Steppo zag zijn kans. Hij legde zijn boeken vóór Håkans neus.

'Ik heb mijn boeken in mijn kast laten liggen.'

Steppo haalde Tahsin in aan het eind van de gang.

'Wacht even.'

'Wat is er?'

'Ik heb iets voor je.'

Steppo viste de brief uit zijn zak. Die was gekreukeld en flink beduimeld.

'Een brief? Waarover?'

'Iets wat ik had willen zeggen, maar dat is niet gelukt, en toen ben ik gaan schrijven, en nu heb je...'

Tahsin begon de enveloppe open te scheuren.

'Nee, niet nu. Later. Je moet hem later openmaken.'

Tahsin haalde haar schouders op, stopte de brief in haar zak en liep weg. Steppo bleef nog even staan. Raakte in paniek. Wat had hij verdomme gedaan? Hij haalde haar opnieuw in.

'Je moet niet denken dat ik kinderachtig ben, dit is iets tussen jou en mij. Laat de brief aan niemand anders zien. Beloof het!'

'Je kunt hem terugkrijgen als je wilt.'

'Nee, shit, nee. Maar...'

Allebei de liften waren kapot. Steppo moest de trap nemen. Zijn moeder had warme chocolademelk met slagroom gemaakt, en kaasbroodjes erbij. Dat had ze elke vrijdag gedaan, zo lang hij zich kon herinneren, maar de laatste tijd gebeurde het sporadisch. Het was lekker, vooral als de warme chocolademelk en de koude slagroom tegelijk je lippen raakten. Maar het voelde als een archeologisch monument, een overblijfsel van duizend jaar geleden. Een overblijfsel van vóór...

'De liften zijn kapot,' zei ze. 'Je moet boodschappen doen.'

'Ik breng eerst nog wat reclamefolders rond. Ik red het wel voor ze dichtgaan.'

Steppo ging verder waar hij geëindigd was, bij flat nummer zeventien. De lift omhoog en dan een folder in elke brievenbus, en naar beneden. Hij vroeg zich af of het meisje achter een van deze deuren woonde, wie ze was en hoe het nu met haar ging. Misschien was ze hier alleen maar bij familie op bezoek geweest.

In een van de volgende flats woonde Håkan, op de negende, en daar belde Steppo aan.

Het deurslot rammelde en een harige aap deed open.

'Eèèèèèhhhgggg.'

De aap trok zijn masker af en Håkan barstte in lachen uit.

'Was je bang?'

'Nee,' zei Steppo. 'Je zag er niet anders dan anders uit, als je het mij vraagt.'

In Håkans huis heerste een onbeschrijflijke bende. Håkan en zijn broer woonden alleen met hun moeder die aan alcohol verslaafd was. De flat stond vol armoedige meubelen, afwas, lege melkkartonnen en bierblikjes. Overal lag vuil wasgoed. In Ronny's kamer hing een grote nazivlag in rood, zwart en wit. Håkan had er net zo een, maar een stuk kleiner. Ronny en zijn vrienden zaten in de woonkamer naar een video te kijken.

'Hé Håkan, haal eens een biertje,' schreeuwde Ronny.

Håkan haalde een biertje.

Steppo rekte zich uit op Håkans bed. Op de tafel lag *Soldaat te velde*. Steppo pakte het. De bladzijden waren behoorlijk beduimeld. Het was een handboek voor een krijger. Op de eerste bladzijde stond: *Om een goed soldaat te worden moet de man zelfvertrouwen hebben, trots zijn op zijn land en plichtsbesef dragen tegenover de staatsburgers daarvan.*

Hij bladerde verder. De hoofdstukken heetten: 'Artillerie en granaatvuur', 'Dekking tegen vliegtuigen en raketten', 'Als je krijgsgevangene wordt', 'Verkenners', 'Ordonnans', 'Dekking', 'Het ABC der strijdmiddelen'.

Håkan stond met ontbloot bovenlijf en een handdoek om zijn heupen in de deuropening. Hij spande zijn spieren aan en zei:

'Perfecte body. Origineel ontwerp van God.'

Steppo wierp hem een vermoeide blik toe. Hij voelde zich krachteloos en zwak. Je kon zien dat Håkan twee jaar ouder was, volledig uitgegroeid en belachelijk harig op zijn borst.

'Ik pik even een douche en ga dan naar Charlies, ga je mee?'

'Nee, straks. Moet nog één flat doen.'

'Dit hoofdstuk is het beste.' Håkan pakte het boek, sloeg het open bij 'Stadsgevecht' en hield het Steppo voor.

Het ging om gevechtstechnieken in een platgebombardeerde stad. Hoe je trappen die niet werden gebruikt moest opblazen. Hoe je vuurstellingen bij ramen versterkte en voorraden ammunitie en water aan moest leggen.

Het interesseerde Steppo niet.

'Ik ga verder voor mijn benen helemaal stijf worden.'

Hij pakte zijn reclamefolders en liep de etage af.

'Kom je daarna?'

'Ja.'

'Volgens mij geilt Helen een beetje op mij.'

'Hé, dat apenmasker, hoe kom je daar verdomme aan?'

'Gevonden. Het is zo'n Buttericks-ding. Die zijn duur.'

'Weet je dat... ach, laat ook maar,' zei Steppo en hij opende de branddeur naar de wenteltrap.

'Tot straks bij Charlies.'

14

Iedereen was er al. Håkan, Dick, Helen, Åsa B. en Tahsin zaten om een tafel. Steppo haalde een stoel. Het café bruiste van leven. De telefoon ging, Charlie noteerde bestellingen en bakte pizza's. Hij had een cassettebandje opstaan met onbegrijpelijke, zwabberende tonen uit zijn vaderland. De Koerd-neven flipperden, joelden en gilden. Het balletje vloog met een tik tegen het glas. Nog maar een paar duizend punten, dan hadden ze vrijspel. Steppo zocht Tahsins blik en vond hem. Ze glimlachte naar hem. Ze had de brief gelezen, dat kon hij zien. Ze glimlachte en hij voelde hevige kriebels in zijn buik, kreeg zin in haar, zijn hele lijf zinderde. Hij voelde zich lekker en ging naast Dick zitten. Håkan pakte zijn camera en schoot plaatjes van iedereen om de tafel. Ze lachten en trokken gekke bekken terwijl de camera flitste. Dick draaide zich om naar Steppo:

'Ik heb mijn toekomst laten voorspellen. Ik word een beroemde gitaarster.'

'Goed, man!' zei Steppo. 'Ben je klaar met je folders?'

'Nee,' zei Dick. 'Ik kan het niet. Reclamefolders rondbrengen is mijn ding niet. En Charlie zegt dat jij twee kronen per folder krijgt en ik zou er één van jou krijgen.'

'Ja, wat is daar mis mee dan? We delen het toch en dan wordt het één kroon per persoon.'

'Oh ja? Jij krijgt twee kronen voor jouw folders en ik één, dus dan krijg jij er drie per folder.'

'Jij kunt echt niet rekenen, heb je nooit gekund.'

'Je belazert me op een of andere manier, ik voel het.'

'Hoe kun je dat nu denken?'

De Koerd-neven schreeuwden. Het vrijspel was heel dicht-bij, nog maar een paar punten te gaan. De flipperkast piepte, krijste en rammelde. Håkan stond op en gaf er een stomp te-gen. Het spel was in één klap dood. Op het scorebord flikkerde TILT, de flippers blokkeerden. Het balletje rolde weg. De Koerd-neven keken Håkan vol haat aan. Zonder een woord te zeggen liepen ze weg. Håkan ging lachend weer zitten.

Steppo vroeg of hij hem wilde helpen reclame rond te bren-gen.

'Je krijgt anderhalve kroon per folder.'

'Nee,' zei Håkan, 'ik weet betere manieren om geld te ver-dienen. Groot geld.'

'Hoe dan?'

'Dat zullen jullie nog wel zien. Meer zeg ik niet. Blijf jij maar lekker met je folders spelen.'

Håkans gebluf hing Steppo de keel uit. Het was altijd zo veel geklets. Hij zou dit fiksen, en dat fiksen, maar er kwam nooit iets van terecht.

Steppo zocht Tahsins ogen, maar ze keek naar de tafel en was bezig met haar kaarten. Als ze de brief had gelezen, dacht Steppo, gingen ze dan nu met elkaar? Tahsin moest toch iets zeggen. Of moest hij zelf iets zeggen? Maar wat? De geluiden van voortrazende auto's en bussen drongen vanaf de Råsunda-weg binnen. Loeiende motoren en het geluid van banden die zuigend over het natte wegdek rolden.

Een frappante gedachte viel hem in: de enige reden voor hem om hier te zijn was Tahsin. Voor de rest kon hij net zo goed tienduizend kilometer verderop zitten. Håkan, Dick en alle anderen was hij behoorlijk zat. Alles leek in het niets te verdwijnen, alles wat ze samen hadden gehad leek zinloos. Al-leen Tahsin gaf de dagen zin. Dat had hij geschreven en ze moest het hebben begrepen.

Nog even, heel even, dan zou hij haar hand pakken en weg-lopen, naar buiten, de regen in. Ze had zijn brief gelezen en begrepen. Ze zouden hand in hand in de regen lopen, omhoog kijken naar de hemel, hun mond opendoen en de regendrup-pels opvangen, en dan...

Tahsin keek op van het kaartspel, maar niet naar Steppo. Ze richtte zich tot Håkan.

'Mag ik voor jou de kaarten leggen? Alleen jij bent nog over.'

'Ik heb schijt aan jouw kaarten.'

'Oh alsjeblieft,' zei Tahsin en ze glimlachte naar hem op een manier die Steppo tergde. Håkan pakte een prop pruimtabak.

'Oh, *please.*'

Tahsin legde haar hand op Håkans arm.

'Oké, maar ik heb er schijt aan.'

'Stel een vraag aan de kaarten.'

Håkan dacht even na en zei:

'Gaat het me lukken?'

'Wát dan?'

'Gaat je geen zak aan.'

Tahsin legde de kaarten uit.

De Dood, Satan en de Toren. Iedereen keek verbaasd. Tahsin raapte ze snel weer bij elkaar.

'Wat had dat te betekenen?' vroeg Håkan met een *smile* op zijn gezicht.

'Niets, ik leg ze opnieuw,'

Tahsin schudde de kaarten langdurig en legde ze opnieuw uit. Satan, de Dood en de Toren.

Håkan draaide onrustig op zijn stoel heen en weer. Zijn glimlach vertrok tot een domme grijns. Tahsin pakte de kaar-ten weer op en zei:

'We kappen ermee, kan ons het schelen. Komt vast door de onzuivere energie hier. Een of andere stoorzender.'

'Hèè,' zei Håkan, 'jíj wilde dit toch zo graag? Wat betekent het dan?'

'Er klopt iets niet.'

Het zestal om de tafel keek elkaar aan, onzeker, verward.

'Stop die kaarten weg,' zei Steppo, 'het is niet leuk meer.'

'Nee, leg ze nog maar een keer,' zei Håkan. 'Ik ben niet bang voor die klotekaarten.'

Tahsin schudde opnieuw, weifelend. Steppo begreep niet waarom ze zo nodig door moest gaan, het was toch allemaal nonsens. Maar Helens ogen glinsterden.

'Leg ze nog eens,' zei ze, 'want er is iets gaande.'

'Nee,' zei Åsa B. 'Ik heb het koud.'

'Leg nou,' zei Helen.

'Håkan mag beslissen,' zei Dick.

Iedereen keek Håkan aan. Het was stil. Je hoorde alleen Charlies cassetterecorder en het autoverkeer van de Råsunda-weg. Buiten was het inmiddels donker geworden. De autokop-lampen flitsten voorbij in de regen, en het water op de ruiten glinsterde in het licht.

'Doe maar,' zei Håkan.

Tahsin legde de kaarten uit. Satan, de Dood, de Toren. Åsa B. slaakte een kreet.

Steppo bedacht dat het puur statistisch bekeken niet onmo-gelijk was dat deze drie kaarten drie keer achter elkaar opdo-ken. Maar wel erg onwaarschijnlijk. Het spel had tweeënze-ventig kaarten, de kans was microscopisch klein, bijna alleen theoretisch mogelijk. Mathematisch. Maar ze lagen daar op ta-fel. Håkan beet op zijn lip en ging verzitten. Helen mompelde iets onbegrijpelijks over gevallen engelen en demonen. Steppo voelde weerzin. Hocus-pocuskaarten, magie en zwarte kunst waren belachelijke spelletjes. Het was puur toeval, een onge-looflijk toeval, hij geloofde niet in zoiets. Maar ook als de kaar-ten geen kracht hadden, en het onwaarschijnlijke gebeurd was, zou het toch bij iedereen blijven hangen. Hoe vaak ze zichzelf er ook van verzekerden dat dit gewoon een geintje was dat je niet serieus moest nemen – wat net gebeurd was zou een nestje vormen in hun hersens. Een donker, somber nestje. Voor Helen was dat geen enkel probleem, in haar hoofd was het al zo donker en somber als maar kon.

Maar voor Håkan?

Die probeerde te doen alsof het hem niet raakte, hij lachte. Maar het klonk geforceerd. Tahsin raapte zonder een woord te zeggen de kaarten bij elkaar.

'Was dat alles?' zei Håkan. 'Heb je me nou iets voorspeld?'

'Nee,' zei Tahsin. 'Er is jou niets voorspeld.'

'Je bent doodgegaan,' zei Helen.

De deur vloog open, bladeren dwarrelden binnen en regendruppels spetterden op de vloer. Daar stond een man. Hij glimlachte naar het groepje om de tafel, met witte tanden en een witte huid. Zwart haar. Zwarte ogen. Een zwarte, lange jas. Een hard, glad gezicht, een perfecte neus, perfecte kin.

'Satan,' zei Dick spontaan.

'Niet echt,' zei de man en hij liep Charlies kantoortje binnen.

'Wie is dat nou, verdomme?' zei Steppo.

Helen lachte. Tahsin legde haar kaarten in de doos en het bergkristal op het spel.

'Tony C. Backman,' zei Håkan en hij wierp Steppo een vlugge blik toe.

'Huh?!'

'Ziet hij er zo uit?' zei Dick. 'Goh, wat een gezellige vent. Ze zeggen dat hij een buschauffeur heeft doodgemept.'

'Waarom?' zei Håkan. 'Reed de bus te langzaam of zo?'

'Hij heeft in elk geval in de tbs-kliniek gezeten voor...'

Tony C. Backman stond plotseling aan de tafel, pal achter Tahsin. Hij liet zijn blik ronddwalen. Er bekroop Steppo een onbehaaglijk, kil gevoel. Hij werd bang. Tony C. Backman legde zijn handen op Tahsins schouders. Masseerde, nee, streelde ze eerder. Steppo kreeg een soort gat in zijn maag en brokstukken van woede explodeerden in zijn hersens. Wat deed híj nou, verdomme? Steppo probeerde op te staan, maar zijn lichaam luisterde niet. De handen gleden over haar schouders richting haar borsten. Tahsin legde haar hand vriendelijk op de zijne, alsof er niets aan de hand was. Tony C. Backman keek naar Steppo terwijl hij zich vooroverboog naar Tahsins oor en zei:

'Ga je mee?'

'Ja.'

Ze stond op en liep achter hem aan de deur uit, alsof het de natuurlijkste zaak van de wereld was. Totaal in shock keek Steppo hen door het raam na, zag hoe ze wegwandelden in de regen. Hij hield zijn lange jas beschermend om haar heen.

'Maar...' zei hij. 'Wat is er aan de hand?'

'Hij is zo waanzinnig knap,' zei Helen. 'Maar wat ziet hij nou in haar? Terwijl juist wíj perfect bij elkaar zouden passen.'

'Wat gebeurt er?' schreeuwde Steppo. 'Het is verdomme een ouwe zak!'

'Hij is twintig,' zei Helen. 'Dat is precies het goeie verschil. Wij liggen ongeveer vijf jaar voor in ontwikkeling.'

'Welke shit-ontwikkeling bedoel je?' zei Steppo. 'Waarom ging ze met hem mee?'

'Jij hebt ook nul komma nul benul,' zei Åsa B. 'Merk jij nou niets, zie jij niets? Ze gaan al twee weken met elkaar.'

'Hoe bedoel je?'

Åsa B. barstte in lachen uit.

'Ja, jij had zeker gedacht dat jullie met elkaar gingen, hè? Jullie zijn ook zo kinderlijk allemaal!'

Steppo keek naar Dick.

Hij spreidde zijn armen in een gebaar van onschuld.

'Ik weet van niets.'

Steppo liep doelloos door de regen. De gedachten tolden door zijn hoofd. Wat had hij nou helemaal gedacht? Hij wist het niet, hij kreeg niets meer op een rijtje. En wat voelde hij? Hij was leeg, in de steek gelaten, ontgoocheld. Zinloos. Maar wie had hem in de steek gelaten? Tahsin? Hij voelde zich een idioot. Urenlang liep hij rond met het gevoel dat hij niet één hele gedachte aan elkaar geregen kreeg.

De lift was nog steeds kapot. Steppo nam de trap. Hij stak de sleutel in de deur, kwam de hal binnen en ging eens goed voor de spiegel staan. Wat een tragisch figuur, wat een volledig zinloos exemplaar mens. Hij was totaal doorweekt en zijn moeder was wanhopig.

'Waar ben je geweest? Je zou boodschappen doen. Ik heb hier zitten wachten... ik heb alsmaar gewacht en... je stelt me zo teleur.'

Ze begon te huilen.

Steppo keek naar haar en voelde haat, schuld en afkeer. Hij haatte haar evenveel als zichzelf, evenveel als de hele wereld. Zijn haar droop van de regen en hij huilde ook. Maar dat was niet te zien.

'Ik ga boodschappen doen. Ik ga nu meteen.'

'De Vivo is dicht.'

'Ik ga naar de Seven Eleven.'

De winkel lag aan de Zuidelijke Langstraat. Hij was helemaal uitgestorven, op het meisje achter de kassa na, dat een krant zat te lezen. Steppo nam een mandje. De planken met producten baadden in een koud, groenblauw tl-licht. Er klonk gezoem vanuit het vriesvak. Een radio stond zachtjes aan. Steppo merkte dat zijn natte kleren een uur in de wind stonken en hij kreeg het gevoel in een Amerikaanse film te zijn beland. Hij verzamelde spullen in het mandje: melk, brood en margarine.

De winkeldeur ging open met een pling-plong. Het meisje bij de kassa keek op en Steppo verwachtte minstens een gemaskerde overvaller te zien binnenstormen, een half lamme junk die met een revolver in zijn hand rondzwaaide. Maar nee, het kon nog erger.

Tony C. Backman.

Hij zag Steppo en herkende hem. Even trok hij een scheve glimlach en het volgende moment had hij een keihard gezicht. Steppo ging bij de kassa staan en het meisje legde haar krant met zichtbare tegenzin weg. Tony C. Backman graaide snel wat kleinigheden bij elkaar en ging achter Steppo staan. Hij snoof een beetje in de lucht.

'Het ruikt hier naar natte hond.'

Steppo zei niets.

Tony C. Backman legde sojakaas, prei en groentebouillon op de band, achter Steppo's spullen. En pakte toen een doosje condooms van een stapeltje bij de kassa, en legde het naast de prei.

'We gaan een hapje te eten maken, Tahsin en ik. Ben wat dingetjes vergeten. Je weet hoe dat gaat, je kunt niet alles tegelijk aan je kop hebben.'

Steppo draaide zich om en keek Tony aan. Hij had een rechte, zelfverzekerde houding, witte tanden en rook zwaar naar mannelijke parfum. Om zijn hals hing een brede gouden ketting.

Kwam die lamme junk nú maar binnen, dacht Steppo.

'Mooie brief heb je geschreven. Liefdespoëzie.'

Steppo werd in één klap uitgeschakeld, het werd zomaar donker, toen kwam er een gigantische golf van haat omhoog.

Hij zag hoe de junk zijn revolver op Tony's hoofd richtte. Pang, pang, pang. Schoot het hele magazijn leeg. Tony's hoofd spatte gewoon uit elkaar – dwars door de winkel. Baf, helemaal tot aan de zuivelkoeling. De gouden ketting vloog door de lucht terwijl zijn lichaam in elkaar zakte. Zonder kop.

Steppo pakte snel zijn boodschappen in en maakte dat hij wegkwam.

De rode digitale cijfers op de wekkerradio sprongen op 02:30. Hij kon niet in slaap komen, lag naar de cijfers te staren. Hij voelde een gemis, een enorm gemis. Er zat een groot zuigend gat in zijn maag. Dat gat kon nooit helen, er werd in gehakt en gehakt en gehakt. Hij was verloren.

Misschien was hij wel dood.

De cijfers op de klok gleden vooruit door de nacht. Hij was vast dood en op een soort tussenstation beland, onmogelijk om daar weer weg te komen. Een spiraal. Misschien moest hij maar eens naar de schoolpsycholoog. Kon die bewijzen dat hij leefde? Kon iemand dat? Misschien was iedereen in deze wereld wel dood.

Misschien was hij zelf juist dood.

Misschien lukte het wel met zo'n leugendetector. De schoolpsycholoog vraagt: 'Leef je?' en dan zit je gekoppeld aan een apparaat en je antwoordt: 'Nee.' En dan slaat de naald uit en dan weet je dat je liegt. Dan leef je. Maar antwoord je 'ja' en de naald slaat uit richting leugen, dan ben je dood. En antwoord je nee, en de naald slaat niet uit, dan ben je ook dood. En als de leugendetector nou bewees dat je leefde, kon iemand dan antwoord geven op de vraag waarom? Misschien had het leven geen bedoeling. Misschien was alles zinloos, en kwam het erop aan de zinloosheid op een armlengte afstand te houden door te wippen en te feesten en...

Steppo herinnerde zich wat hij dacht toen hij klein was. Dat je er was om voor de dieren te zorgen. Hij had toen een goudhamster. En daarna een aquarium met guppy's en zwaarddragertjes. Op een dag sleepte hij een snoekjonkie dat hij in de Brunnsbaai had gevangen, mee naar huis. Die at in een mum van tijd alle andere vissen op. Hij had de snoek gestraft door hem in een glas azijn te laten rondzwemmen. Dat overleefde hij niet en Steppo had hem door de wc gespoeld. Een laatste kronkelende tocht door de afvoerpijp vanaf de dertiende verdieping. En de goudhamster was niet goed snik geweest, die rende zichzelf dood in zijn rad. Hij moest zo nodig de hele tijd tussen de spaken van het rad kijken om te zien of hij al ergens was gekomen. In volle vaart, en eruit en erin met zijn kop. Het rad ratelde dag en nacht. Eén keer trok het dier zijn kop te laat terug. Het rad stopte abrupt en de hamster brak zijn nek.

Steppo stond op en pakte een glas melk en twee aspirientjes. Hij ging weer liggen met zijn gezicht naar de muur, rook de bittere lucht van behang. Hij dacht aan Tahsin, bedacht dat hij alles verkeerd had begrepen. Wat er gebeurd was, was een grap om hem te testen. Hij probeerde zichzelf in te prenten dat het allemaal niet gebeurd was. Dat de dag die voorbij was, niet bestond.

Hij trok haar shirt uit, koos kleine tepelhoven met grote tepels, als muntstukken van vijf kronen, pakte ze vast. Haar slipje was van een glimmend, zilveren materiaal. Hij trok zijn vinger van haar navel omlaag naar het elastiek. Lichtte die op en zag het bosje haar. Ruilde bij nader inzien het zachte kattenhaar in voor stugger, borstelig krulhaar met power, waardoor het slipje opbolde.

Plotseling ontdekte hij dat het meisje niet Tahsin was.

Hij had Eva uitgekleed.

15

Håkan keek op zijn horloge, het was tien over acht. Het was een koude avond, de bladeren vielen van de bomen. Hij stond verdekt opgesteld, halverwege een trap omlaag, van de stoep naar een kelderdeur. Zijn blik was gefixeerd op een buiten-deur, al een uur lang was er niemand in- of uitgegaan. Het was een grijze flat met negen verdiepingen. Er stonden vijf exact dezelfde flats in de straat. Maar alleen in deze ene was hij geïn-teresseerd.

Het was helder, één of twee graden onder nul, maar hij had het niet koud. Hij was gekleed op lang wachten. Stevige boots, een legerbroek met superwarm ondergoed eronder, en een dikke, groene legerjas. De andere avonden dat hij hier had ge-staan, had het geregend. Toen had hij het koud gekregen, ter-wijl de luchttemperatuur toch hoger was geweest. Maar nu was de lucht helder en droog. De minuten kropen voorbij. Hij stond hier nu al twee uur.

Håkan liep de keldertrap op en ging op de elektriciteitskast zitten. Zijn benen waren moe. De elektriciteitskast naast de trap was ook een prima plek. Het licht van de straatlantaarns kwam niet zo ver. Gebeurde er iets, dan kon hij snel het donker in glijden. En vanaf de buitendeur waren de elektriciteitskast en de trap omlaag in een grauwe duisternis gehuld, vooral als je net uit het licht kwam. Håkan had dat gecheckt. En zelfs als iemand vlakbij over de stoep voorbijliep, zou die hem niet op-merken als hij zich koest hield.

In zijn zak zat zijn camera.

Kunnen wachten was een kunst. Håkan verstond die. Dat wist hij, voor een krijger was dat het belangrijkste. Håkan peuterde aan een goudkleurig muntje dat iemand aan de elektriciteitskast had vastgelijmd. Een grap. De bedoeling was dat mensen dat probeerden te pakken, terwijl een paar kinderen een eindje verderop in de struiken zaten te gniffelen. Misschien zat het daar al jaren. Ze hadden goeie lijm gebruikt, je kon het muntje onmogelijk met je vingers loskrijgen. Misschien met een tang of een schroevendraaier en een hamer. Lukte zijn klus vanavond niet, dan zou hij morgen wat gereedschap meenemen. Het ging hem niet om het geld, van tien kronen werd hij niet warm of koud, maar het irriteerde hem, het maakte hem razend, dat klotemuntje moest daar weg.

Er kwam iemand de voordeur uit. Håkan gleed geruisloos van de elektriciteitskast en liep de keldertrap een paar treden af. Het was een vrouw in een groene, lange jas. Ze bleef op de stoep staan en stak een sigaret op. Wachtte ergens op. Er kwam een taxi aan die stopte. Ze stapte in en de auto reed weg. De straat lag er weer verlaten bij. Håkan keek omhoog naar de hemel, dunne sluierbewolking trok voor de sterren langs.

Nu zouden ze eens wat zien! Gaaf, man! Zijn broer zou trots op hem zijn. Hoewel, zou hij het wel aan iemand vertellen? Misschien, misschien ook niet. Dit was echt super! Als hij nu eens gelijk had? Het was een gok, maar hoe langer hij erover had nagedacht, hoe zekerder hij van zijn zaak werd. Hij had hem de trappen af zien komen, van de Råsundaweg naar de Oosterweg, een keer 's avonds laat, eerder die herfst. Zijn broer, Timo en Kenny zouden de stad ingaan, en hij had niet mee gemogen. Woedend was hij onder de brug bij de Oosterweg gaan zitten, en plotseling kwam er iemand aanrennen vanaf de Råsundaweg. Zelf was hij ongezien gebleven, maar hij had de man herkend. Het apenmasker lag nog op de trap.

Later kwam hij hem bij Buttericks tegen. Het was geen bewijs, maar hij voelde zich zeker. En als het klopte was het supergeweldig, en bruikbaar – overduidelijk. Maar het was niet voldoende. Een gok, hoe zeker die ook was, had geen waarde. Hij moest een echt bewijs hebben. Iets wat hij kon overhandigen. Misschien zou hij dat vanavond krijgen, misschien zou het twee maanden duren. Maar het zou hem lukken.

Hij zou ze eens wat laten zien!

Håkan voelde zich gevaarlijk. In het donker voelde hij zich thuis. Zien en horen zonder te worden gezien en gehoord. De jager. Alle anderen waren nullen, prooien, maar hij zou een topmilitair worden. Hij had er het fysieke gestel voor, en de hersens voor, en hij had een hoge pijngrens.

Håkan ging weer op de elektriciteitskast zitten. Hij pulkte aan het muntje van tien en bedacht hoe hij de informatie zou gebruiken, en of het riskant zou zijn.

Hij keek op zijn horloge. Halftien. Dan kon het oude mensje met haar hond elk moment naar buiten komen, dat deed ze elke avond. En inderdaad, de voordeur ging open en daar was het mens met haar belachelijke hondje. Het had een rode strik op zijn kop en een soort geruit truitje aan.

'Ziezo, ga maar poepen.'

De hond drukte zijn achterste omlaag en begon te persen.

'Poepen,' zei het mens. 'Komt er vanavond niets, dan wordt je buik hard en krijg je last van algehele verstopping. En de dierenarts, daar houd je niet van.'

De hond poepte, het mens raapte het op met een zwart zakje dat ze in de afvalbak gooide. Daarna pieste de hond tegen de paal van de afvalbak. En toen hij zijn behoeftes gedaan had, wilde hij rennen om de wereld te verkennen en aan alles snuffelen. Maar dat mocht hij niet. Het mens tilde de hond op en liep de flat weer in.

Håkan stond op het punt het op te geven. Werd het te laat,

dan had het geen zin. Hij zou zich niet in verlaten straten gaan begeven. Dat zou zinloos zijn. Hij kon het morgen beter weer proberen. Dan zou hij verdomme ook een tang of zo meenemen. Het gouden muntje ergerde hem mateloos. Degene die het daar had vastgelijmd, verdiende een flink pak slaag. De voordeur ging open en daar stond hij. Håkan liet zich van de elektriciteitskast glijden en maakte zich klein. De man keek om zich heen, hij was gekleed in een donkere, lange jas en had zijn handen diep in zijn zakken weggestoken. Hij begon met snelle stappen te lopen. Håkan wachtte even. Gaf de man vijftig meter voorsprong, toen stak hij over naar de stoep aan de overkant en zette de achtervolging in. Håkans stappen waren stil, prima rubberen zolen. De man draaide zich om. Håkan hurkte achter een geparkeerde auto. Was hij gezien? Had hij het verknald? Shit! Hij zag onder de auto door dat de man verder liep. Hij was niet gezien. Nu moest hij zijn kop erbij houden.

Håkan gaf hem nog eens twintig meter voorsprong, daarna liep hij verder van de stoeprand af, dicht langs de muren van de huizen. Daar kon het licht van de straatlantaarns niet komen. Het leek een volstrekt doelloze wandeling, kriskras door Råsunda. De Sportstraat, de Solnaweg, de Ruiterweg, de Bosjesweg, de Winterweg. Kwam de man iemand tegen dan stond hij abrupt stil en tuurde in een etalage. Was er geen etalage, dan wendde hij zijn gezicht af en deed alsof hij iets in zijn zakken zocht.

Nog een rondje. De Sportstraat, de Solnaweg, de Ruiterweg, de Bosjesweg, de Winterweg. Nu kwam er tempo in. Alsof hij bezig was aan een warming-up. Op de Råsundaweg bleef hij bij de bushalte staan, las de dienstregeling en installeerde zich achter het bushokje.

Håkan stond bij een hoek van de straat en had prima uitzicht. Maar de afstand was te groot. Hij moest dichterbij zien te komen. Anders zou het niet werken. Maar als hij dichter bij de bushalte kwam, werd hij direct opgemerkt. Die plek was niet toevallig gekozen, het was een gewiekste gozer. Håkan besefte nu pas dat hij er niet goed over had nagedacht. Sterker nog, hij had helemaal niet nagedacht. Er mocht hooguit een paar meter afstand tussen hen zitten. Hoe kreeg hij dat verdomme voor elkaar?

Lijn 509 remde af bij de halte. Er stapte een oudere man uit die omhoog liep naar de Hoofdstraat. Er gebeurde niets. Håkan leunde tegen de muur en keek naar de sterrenhemel, de Grote Beer. Hoe kon hij nou dichtbij komen zonder dat het in de gaten liep? Håkan keek om de hoek naar de bushalte. De man was weg. Håkan liep naar de halte, speurde naar alle kanten. Alles leek uitgestorven. Was hij gezien?

16

Dick stond voor Hagströms muziekwinkel en keek naar de gitaren in de etalage. Als hij voor geld reclame zou rondbrengen, kon hij misschien over tien jaar een Ibanez kopen. En een Ibanez wilde hij niet eens hebben. Toen hij binnenstapte keek de boze kop van Silver hem vermoeid aan. Er kon geen 'hoi' meer vanaf, alleen maar een diepe zucht. De blauwe Strato was weg! Dick werd eerst helemaal koud en toen kwaad. Hij keek naar Silver die achter de toonbank aan de ringen om zijn vingers stond te draaien. Silver trok een minachtende grimas. Dick voelde een mix van teleurstelling en boosheid. Maar wat had hij verdomme dan gedacht? Dat er een wonder zou gebeuren? Dat die mysterieuze figuur van een Silver op een dag zou zeggen: 'Kies maar, pak de gitaar die je het mooist vindt. Je krijgt hem, pak hem maar en dan wegwezen jij!'

Maar oké. De rode Strato, dan moest het maar de rode worden. In zekere zin was die ook mooier dan de blauwe. Een Gibson wilde hij niet. Dat was een kloteding, een ouwelullengitaar. De rode moest het worden. Hij zou het voor elkaar krijgen. Op de een of andere manier zou hij het voor elkaar krijgen. En zich met zijn spel uit dit oord weg werken, de wereld in. Al die klootzakken eens wat laten zien.

Er waren maar weinig klanten in de winkel. Af en toe kwam er een echte musicus binnen die snaren, een pedaal, snoeren, een plectrum en andere spulletjes kocht die een echte musicus nodig heeft. Je kon aan de klanten zien welke echte musici waren en welke gewoon sukkels die zich verbeeldden dat ze musici waren. Dick rekende zichzelf niet tot de sukkels.

'Als je niets komt kopen, kun je wel weer gaan,' zei Silver.

'Ik heb nog niet besloten,' probeerde Dick.

Silver lachte ineens.

'Oké, je krijgt nog vijf minuten, dan vertrek je.'

Dick overwoog of hij het lef had om te vragen of hij de rode Strato mocht uitproberen.

Hij draaide zich om, verzamelde al zijn moed en opende zijn mond. Maar precies op dat moment kwam er een zeer bekende musicus binnen, één van de grootste gitaarfenomenen van het land. Dicks mond zakte open. Silver raakte helemaal buiten zichzelf.

'Hai, hoe is het?'

'Goed. Hé, ik zit om een *distortion*-pedaal verlegen, moet wel een supergoeie zijn. Mijn ouwe, trouwe beestje is de pijp uit.'

'Er is net een nieuwe uitgekomen, van Marshall, die is extreem goed. De JH-1 JACKHAMMER. Ik kan er morgen een in huis hebben.'

'Oké.' De gitaarster haalde de rode Strato van de muur, plugde die in en begon als een god te spelen.

Dick stond ademloos te luisteren. De ster stopte met spelen en keek hem aan.

'Is-ie mooi of...?'

'Ja, mag ik haar ook eens proberen?' zei Dick.

Silver wierp hem een vernietigende blik toe.

'Ben jij nog niet weg?'

'Nee.'

'Je mag die mandoline daarachter wel testen.'

De gitaarster lachte plots.

'Kun jij spelen?'

'Ja.'

De ster overhandigde Dick de gitaar. Hij ging op een kruk zitten en pingelde een beetje, pakte drie behoorlijk onzuivere akkoorden. Silver lachte luid.

De gitaarster vroeg om een stapeltje snaren en verdween. Dick keek hem na en voelde hoe hij zelf wegzonk in de bodemloze poel der sukkels, waarin je ten onder ging met een mandoline om zijn nek.

'Hang die gitaar op en verdwijn,' zei Silver. 'En je hoeft hier niet meer te komen.'

De gitaar voelde loodzwaar. Dick zag zijn vervormde spiegelbeeld in het rode, blinkende oppervlak. Er drupte iets uit zijn oog, het viel onder de snaren door naar beneden. Hij verbeet zich, op een dag zou hij ze eens wat laten zien. Iedereen. Silver kon naar de hel lopen, dat was gewoon een mislukte muzikant die in een winkel werkte. Zelf zou hij...

Dick voelde een hand op zijn schouder. Het was Jocke.

'Hoi, mag ik die eens uitproberen?'

Dick veegde snel met zijn mouw langs zijn ogen en reikte hem de gitaar aan. Jocke speelde wat, draaide en keerde de gitaar, en bekeek hem aan alle kanten.

'Als je deze scoort, dan mag je meespelen in Devils Dog. Geen probleem.'

Dick kreeg de gitaar terug. Hield hem stevig in zijn armen.

'Hoe dan verdomme? Dat is onmogelijk!'

Jocke grijnsde en keek snel om zich heen.

'Jatten.'

'Nee joh, ben je helemaal...'

Jocke haalde een Gibson Les Paul van de wand af.

'Als ik jou een teken geef, loop je met de rode Strato naar buiten.'

'Maar?'

'Bek dicht, we fiksen dit, oké? Je loopt gewoon regelrecht de winkel uit, en je hoort erbij.'

'Maar ik kan niet zomaar...'

'Wil je nou meedoen, of?'

Dick wist niet wat hij moest zeggen.

Jocke draaide zich om naar Silver en hield de Les Paul omhoog.

'Uit welk jaar is dit model?'

'Negenenzestig, dus voorzichtig hè, mannetje!'

'Wat kost-ie?'

'Zevenentwintigduizend, niets voor jou dus.'

Jocke inspecteerde de gitaar, draaide de achterkant omhoog.

'Er zit een barst in de hals.'

'Wat zeg je, verdomme?'

Silver schoot op Jocke af en trok de gitaar uit zijn handen.

'Waar zit die barst?'

'Hier.'

Jocke wees op de gitaarhals terwijl hij Dick een veelbetekende blik toewierp en richting de deur knikte. Dick aarzelde. Hij stond met de rode Strato in zijn hand, deed een paar stappen achteruit. Jocke staarde hem kwaad aan en gebaarde 'wegwezen'. Silver was op de gitaar gefixeerd:

'Ik zie geen barst.'

'Hier, precies hieronder...'

'Daar zit geen barst.'

'Echt wel!'

Dick stormde de Koninginnestraat op met de rode Stratocaster in zijn hand. Keek verward om zich heen en snelde door de tunnel naar de Hooimarkt. Het bloed pompte door zijn aderen, hij voelde zich duizelig, hij voelde zich... hij wist niet wat hij voelde. Het was allemaal zo snel gegaan.

Maar de gitaar voelde even warm als ze rood was.

Ze hadden een toets natuurkunde. Steppo was als eerste klaar. Hij leverde zijn papier in en verliet het lokaal. Natuurkunde was een van weinige vakken die hij echt leuk vond. Hij wist dat hij alle antwoorden goed had. Hij liep door de lege gangen naar zijn kast. Iedereen had les. Uit de klaslokalen klonk geroezemoes, en vanachter sommige deuren geschreeuw en geschraap van stoelen. Ergens bulderde een leraar.

Steppo legde zijn spullen in de kast en liep naar het trappenhuis, klom in het raamkozijn en ging op de vensterbank zitten. Tahsin had hem vandaag niet gezien, niets gezegd. Ze was zomaar voorbijgelopen, heel dicht langs hem zonder notitie van hem te nemen. En hij had niet één woord durven uitbrengen. Over duizend jaar zou hij het misschien durven, of over miljoenen. De briefactie was het stomste wat hij had kunnen doen. Zeg je iets met je mond, dan verdwijnt het, is het weg wanneer je weer stil wordt. Een brief blijft bestaan, de stommiteit sterft nooit. Die flakkert telkens als je hem leest weer op. En waarom had ze hém de brief laten zien? Juist dat stak als een vampierbeet in zijn hart.

Dick kwam de trap oprennen met een rode gitaar in zijn hand.

'Heb je die gekocht?'

'Ja,' zei Dick buiten adem.

'Shit man, hoe dan?'

'Weet ik niet,' zei Dick verward.

'Je hebt de natuurkundetoets gemist.'

Dick gaf geen antwoord. Hij haastte zich door de gang en sloot de gitaar op in zijn kast.

De laatste les was maatschappijleer met Nisse-Lasse. Ze werkten verder aan misdaad en straf en de voorbeelden Anders, Bosse en Claes.

Nisse-Lasse liet zijn blik over de klas dwalen en vroeg:

'Wat houdt een inhechtenisneming in?'

Niemand stak zijn hand op.

'Eva, kun jij deze onnozele klas eens uitleggen wat een inhechtenisneming inhoudt?'

Eva kreeg een rood hoofd, haar blik werd onzeker. Iedereen draaide zich om en keek naar haar.

'Hallo, geef eens antwoord!'

Eva kuchte en stamelde:

'Ja, het is misschien wanneer de aanklager... nee... dus... maar...'

Tahsin en Åsa B. keken moeilijk en slaakten een zucht. Eva klapte dicht en Helen gaf haar de nekslag:

'Plasamoebe.'

Dick vulde aan:

'Er ligt een plas onder haar stoel.'

En anderen vielen in:

'Ze heeft een heel rood hoofd. Moet zeker nodig piesen.'

Eva stond zo snel op dat haar stoel omkiepte, en rende de klas uit.

'Ja, zie je wel, ze moest heel nodig.'

Steppo schreef iets op de bank vóór hem, iets wat hij niet zei: *kappen verdomme!*

Nisse-Lasse trok een quasi-verbaasd gezicht:

'Ze heeft een pedagoog nodig. Kom, we gaan door.'

Steppo keek uit het raam en wilde dat hij ergens anders was. Hij realiseerde zich ineens dat dat het grootste deel van zijn schooldag uitmaakte: uit het raam kijken en wensen dat hij ergens anders was. Ver, ver weg.

Een rode, roestige Volvo reed het schoolplein op en stopte. Tony C. Backman stapte uit en leunde, met zijn armen over elkaar gekruist, tegen de auto. Hij keek naar het schoolgebouw, liet zijn blik omhoog dwalen, raam na raam. Steppo veranderde zijn wens in een verdomd goed jachtgeweer.

'Hij is er,' zei Åsa B. tegen Tahsin en ze wees door het raam naar buiten.

Tahsin sloeg haar boeken dicht en was het volgende moment verdwenen.

'Wat gebeurt hier?' Nisse-Lasse keek door het raam naar buiten. 'We hebben les.'

Steppo zag Tahsin het schoolplein oplopen en op Tony af vliegen. Ze omhelsde hem.

'Tja,' zei Nisse-Lasse. 'Jullie krijgen het volgende huiswerk. Zelf vind ik dat een mens die een misdaad begaat, niet zwak is. Hij moet juist door de politie gepakt worden om te leren dat misdaad niets oplevert. Ik ben voor de doodstraf. En jullie? Dat is het huiswerk. Denk er goed over na en schrijf op wat jullie vinden.'

De bel ging.

Eva pakte haar huiswerkboeken uit haar kast en stopte ze in haar tas.

'Trek het je niet aan,' zei Steppo.

'Hè?' zei Eva, verrast dat iemand haar aansprak.

'Trek het je niet aan. Luister niet naar wat ze zeggen. Ze zijn alleen maar bang.'

'Bang?'

'Ja, iedereen is bang. Je moet schijt aan ze hebben.'

Toen kwam Dick.

'Hè, ben jij maf? Sta je met haar te praten?'

'Nee. Ik had toevallig... Ach, lamaar.'

Dick deed zijn kast open, pakte de rode Strato eruit.

'Ik zit nu in Devils Dog.'

Eva stond er nog, met haar tas open en een boek in haar hand. Ze keek nog steeds naar Steppo, alsof ze aan de vloer was vastgevroren.

De trap naar de kelder was lang. Alsof die regelrecht naar de onderwereld voerde. Een steile tunnel met wanden van onge-stuct beton. Helemaal beneden was een ijzeren deur met stuurwielen als sloten en geel geschilderde pijlen die wezen welke kant de wielen op moesten worden gedraaid om de deur te openen en te sluiten. Boven de deur zat een oranje driehoek in een blauw veld en daaronder stond: SCHUILKELDER. De repe-titieruimte van Devils Dogs was bomvrij.

De deur zat niet op slot, maar ging heel zwaar open. Het stonk, droog en oud. Dick liep een lange gang door, passeerde nog een dikke gepantserde deur en kwam toen in een grote ruimte. Jocke, Thomas en Bernta waren er al. Drums, een ver-sterker, een speaker en een microfoonstatief stonden tussen oude schoolbanken en kasten.

'Mooi,' zei Jocke. 'Mag ik je gitaar eens vasthouden?'

Jocke pakte de rode Strato en hing die om zijn nek. Tokkel-de een beetje op de snaren en draaide aan de stemschroeven.

'Maar dit is de mijne,' zei Dick.

Jocke plugde de gitaar in, er klonk een snerpend geluid dat ging rondzingen. Toen pakte hij een paar akkoorden terwijl de versterker voluit stond, keek Dick aan en wees ergens naar.

'Daarachter ligt een tamboerijn.'

Bernta ging lachend achter de drums zitten, stampte een paar keer op de baspedaal en maakte een rondje op de pauken. Daarna stelde hij de snaredrum af. Thomas plugde de bas in, en dat ging gepaard met een oorverdovend gezoem.

'Ja maar...?'

'Relax man, je mag eerst een beetje voor spek en bonen mee-doen. Hier en daar een handje helpen.'

Jocke ging op een speaker zitten en schoof de gitaar naar achteren, op zijn rug. Hij haalde een pijp tevoorschijn en een brokje bruin spul dat hij verhitte en verkruimelde. Hij ver-mengde het met de tabak van een sigaret, en stopte de pijp zorgvuldig met hasjiesj. Dick snapte eerst niet waar hij mee bezig was. Jocke stak een lucifer aan en kreeg de tabak met een paar snelle trekjes aan het smeulen, daarna inhaleerde hij diep en hield zijn adem in, hield de rook in zijn longen en gaf de pijp door aan Bernta achter de drums. Die zoog ook zijn longen vol en gaf de pijp aan Thomas. Daarna ging hij weer terug naar Jocke. Die nam opnieuw een trek. Een zoete, typische geur verspreidde zich door de schuilkelder. Jocke gaf de pijp aan Dick. Die aarzelde, verward.

'Ga je nou wel of niet meedoen?'

Drie paar ogen keken hem aan. De gedachten tolden door zijn hoofd. Hij kon het best proberen. Eén keer was eigenlijk geen keer. Verdomme nog aan toe, zo gevaarlijk kon het nou ook weer niet zijn. Hij stak zijn hand uit en kreeg de pijp. Die was warm.

Eerst voelde hij niets, het duurde een poosje voordat het aansloeg. Maar toen sloeg het goed aan. Alles gleed van hem af, zijn hersens stonden in bloei, de zon ging op in de schuilkelder. En toen liet hij zich op zijn knieën vallen en barstte in lachen uit.

17

Het was acht uur 's avonds. Håkan zat op de elektriciteitskast en peuterde aan het vastgelijmde muntje van tien. Hij was zijn gereedschap vergeten. De voordeur ging open. Håkan keek op, liet zich van de kast afglijden en stelde zich verdekt op, een stukje verder op de keldertrap. Het was dat oude wijf met haar idiote hondje dat altijd last had van verstopping.

'Kom, poep nu,' zei ze.

De hond weigerde te poepen.

'Dan moet je aan de paraffineolie, en dat vind je niet leuk.'

Håkan had ondertussen al een aardig beeld van iedereen die in de flat woonde, hij had hier al heel wat avonden gestaan. En was tot twee keer toe bijna geslaagd in zijn missie. Hij vond zichzelf ontzettend goed, had alleen geen geluk. Maar dat zou nog wel komen. Hij had geduld, en dan zou het geluk vroeger of later ook wel komen.

Het mens pakte de hond op en begon hem in zijn buik te knijpen. De hond jankte. Ze zette het dier weer neer.

'Kom, poep nu.'

De hond stond helemaal te trillen, zo hard was hij aan het drukken. En met resultaat.

Ze tilde het beest op en liep naar binnen. Raapte zijn drol niet op zoals ze anders altijd deed.

Het volgende uur gebeurde er niets. Dat was saai. Het werd negen uur, en achter de ruiten flikkerde het blauwe tv-licht.

Wat zou hij met het geld doen? Het kon flink wat worden,

verdomd veel. Hij had wel een idee wat hij ermee zou doen. Dat was ontzettend goed, waanzinnig. Zou het hem lukken, dan kreeg hij al het respect van de hele wereld.

Er kwam een auto door de straat aan glijden. Håkan hield zich schuil in het donker. Het was een politieauto, die rolde langzaam voorbij. Håkan pakte een chocoladekoekje uit zijn zak en at het op. Het was enorm saai om iemand te bespieden. Je moest vooral scherp zijn en tegelijkertijd delen van je hersens kunnen uitschakelen zodat je tijdsbesef ophield. Zorgen dat de uren snel voorbijgingen. Ontspannen blijven, maar tegelijkertijd wakker.

De voordeur ging open. Daar was hij. Håkan stopte het chocoladekoekje weer weg. De man liep snel in de richting van Solna Centrum. Håkan achtervolgde hem op afstand, hield zich schuil in het donker. De man stopte bij elke bushalte. Stond een poosje achter het wachthokje. Hij stampte en wiegde heen en weer. Leek onrustig, spiedde om zich heen. Liep terug naar een bushalte waar hij al was geweest. Las de dienstregeling. Ging een poosje zitten. Stond op en liep weer naar de volgende halte.

Er kwam een bus, en de man ging achter het bushokje staan. Een jongen en een meisje stapten uit en renden de straat over. De man kwam tevoorschijn en bestudeerde ook daar weer de dienstregeling. Verliet de bushalte en liep in snel tempo over de Frösundabaan. Håkan had moeite om hem ongezien te achtervolgen, maar hij wilde hem niet wéér uit het oog verliezen. Ze liepen over de Winterweg en de Sportstraat, langs het voetbalstadion. En daarna de Råsundaweg op, omhoog naar metrostation de Waterlelie. Daar bleef de man bij de ingang staan. Håkan stond verdekt opgesteld achter een bestelauto aan de overzijde van de Råsundaweg. De man keek om zich heen en liep naar de andere kant van het metrostation, naar de uitgang. Håkan raakte geïrriteerd. Waar was hij verdomme mee bezig? Zou hij soms controleren of hij achtervolgd werd? Wist hij het misschien? De minuten kropen voorbij. Stond hij nu nog steeds daarachter of had hij de weg afgesneden naar het Grote Bos? Håkan deed een stap naar voren en wilde de Råsundaweg oversteken. Hij nam daarmee een risico, maar...

Een bus stopte bij de halte naast de ingang van de metro. Håkan ging weer op de stoep staan en installeerde zich zó dat hij niet gezien werd. Twee meisjes stapten uit. Hij herkende er een, ze zat in de brugklas van de Hagalundschool. Ze was lang en knap. Had net zo goed in de derde kunnen zitten. De meisjes liepen de trap af naar de metro. De bus reed weg.

Toen kwam hij tevoorschijn, als een duveltje uit een doosje. Håkan hurkte bij een geparkeerde auto en zag hoe de man naar beneden rende, het metrostation in. Håkan stormde de Råsundaweg over. Een taxi moest plotseling remmen en stond vlak voor zijn neus stil. Håkan kletste met zijn handpalmen op de motorkap.

De chauffeur gooide het portier open.

'Rotjong, verdomme, kijk toch uit!'

'Neger!' Håkan liep achteruit over de weg. 'Zet je taxibordje uit en rij terug naar huis, naar de bananenjungle.'

'Zeg, ik ben een Koerd.'

'Rij daarheen dan.'

'Nee, Zweden is mijn land.'

'Jij wordt nooit Zweeds.'

'Ik ben naar Zweden gekomen om Koerd te mogen zijn.'

'Flikker toch op, man!'

Håkan rende het metrostation in. Shit, zou je net zien dat hij hem nu misliep! Klote-Koerd. Hij haatte Koerden. De hal met de kaartjescontrole was helemaal leeg, er zat geen bewaker bij de controle. Achter het glas stond een bord: GELIEVE TE PASSE-

REN. Håkan liep door en rende de roltrap af. Geen mens. Alleen een tunnel in de onderwereld, koude tl-buizen en metalen roltrappen.

Toen hoorde hij een schreeuw, die raasde door de tunnel. Håkan stond stil, luisterde, maar hoorde niets meer dan het roltrapmechaniek dat onverstoorbaar doorging. Hij had het gemist. Klote-taxichauffeur.

Maar toen hoorde hij stapsgewijze sprongen. Daar kwam hij, van beneden. Rende over het perron naar de roltrap. Håkan stond halverwege op de roltrap naar beneden. Hij hurkte en keek over de rand. De Duivel kwam eraan! Håkan pakte zijn fototoestel en stond op, precies op het moment dat de man zijn masker afdeed. Ze passeerden elkaar op een paar decimeter afstand, de ene op weg naar boven, de andere op weg naar beneden.

Håkan hield de camera voor zijn oog en nam een foto. De flitser ging af. Hij liet zijn toestel zakken en keek in de ogen van de man. Die keek verbaasd, niet boos, niet bang, alleen verbaasd. Ze volgden elkaars blikken, draaiden hun hoofden om op de roltrap. De man haakte als eerste af, keek naar zijn hand, keek naar het masker. Moffelde het in zijn zak en begon de trap op te rennen.

18

De schoolverpleegster hield spreekuur in de benedengang recht tegenover de bibliotheek. Steppo voelde aan de deur, maar die zat op slot. Er hing een bord met tijden erop: woensdag tot en met vrijdag tussen negen en twaalf uur. Steppo bonkte op de deur, niemand deed open. Ze was er niet, maar ze zou er wel moeten zijn. Hij ging op de stenen trap zitten wachten, streek met zijn hand over de marmeren traptrede, over fossielen van miljoenen jaren oud. De traptrede was afgesleten door duizenden leerlingen, jaren- en jarenlang. Zelf had hij daar misschien met één duizendste millimeter aan bijgedragen.

Wat moest hij tegen de verpleegster zeggen als ze vroeg hoe hij zich bezeerd had? Ze zou het vragen, geen twijfel mogelijk. Hij was gevallen. Nee, dat was niet voldoende. Hij was op een kapotte fles gevallen. Had een sprintje getrokken om de bus te halen, was gevallen, en ongelukkig genoeg lag daar net een versplinterde fles. De een of andere idioot had een fles aan diggelen gesmeten, hij viel erop en sneed zich in zijn dij. Ja, dat was het. Precies zo was het gegaan.

Eva kwam de trap aflopen. Steppo haalde zijn sleutelbos tevoorschijn en deed alsof hij daardoor geheel in beslag werd genomen. Ze stond voor hem stil. Hij keek niet op.

'Hoi, wacht je op de verpleegster?'

'Ja.'

'Is ze er niet?'

'Nee.'

'Ik ga naar de bibliotheek, dat is een betere plek om te wachten. Ga mee, ik heb de sleutel.'

'Nee.'

Steppo keek op. Eva keek hem aan. Het kon niet, met Eva in de bibliotheek zitten stond gelijk aan je doodvonnis tekenen.

'Ik dacht alleen...'

'Nee,' kapte Steppo haar af.

Eva opende de deur van de bibliotheek.

Ze was eenzaam, hij wilde niet eenzaam worden. Daar dacht hij even over na. Was hij niet al eenzaam? Was niet iedereen verdomd eenzaam? Iedereen op deze school? Iedereen klampte zich aan iemand anders vast zodat het niet te zien was. Goden en godinnen aan goden en godinnen. Sukkels aan sukkels. En dan waren er nog een paar over.

Steppo gleed met zijn hand over de afgesleten traptrede. Het enige spoor van vroegere leerlingen, duizenden. Was dit alles wat overbleef? Van jaren middelbare school, jaren dagelijkse strijd om rollen en rangorde? Je plekje bewaken, niet buiten de boot vallen, niet overblijven, niet helemaal onderaan belanden. Geen Eva worden.

De schoolverpleegster kwam niet. Steppo ging naar haar op zoek in het kantoor naast de lerarenkamer. Maar daar was alleen De Cipier, hij maakte kopieën.

'Wat moet jij hier?'

'Waar is de schoolverpleegster?'

'Hoezo, probeer je soms onder gym uit te komen?'

'Nee.'

'Er is een crisisberaad met de rector, de maatschappelijk werker, de psycholoog en de verpleegster.'

'Is er iets gebeurd dan?'

'Niets wat jou aangaat, wegwezen.'

Steppo werd ongerust. Misschien ging het wel over de auto-diefstal en de botsing, misschien wisten ze iets. Waren ze er-achter gekomen dat hij en Håkan het hadden gedaan. Nee, hoe konden ze dat weten? Hij moest niet paranoïde worden. Waar-schijnlijk was het een geval van pesterij dat ze op hun beken-de, knullige en belachelijke manier probeerden op te lossen. Het resultaat was meestal een vragenformulier waarop de leer-lingen moesten invullen of ze zich gepest voelden en of ze had-den gemerkt dat er op school gepest werd. En daarna moesten ze een groepsopdracht maken. Het idee daarachter was dat ze allemaal aardig tegen elkaar moesten zijn en dat iedereen evenveel waard was. Eva mocht nooit met een groepje mee-doen, ze werd in een groepje gedwongen door leraren die zo weinig gevoel hadden voor wat er aan de hand was dat ze altijd moest samenwerken met degenen die de grootste hekel aan haar hadden.

De botsing zou het toch niet zijn, hè?

Biologie was saai. Steppo keek door het raam naar buiten. Gunnar banjerde op het schoolplein rond en liet zijn tijdschrift zien aan leerlingen die pauze of een tussenuur hadden.

'Stefan,' riep Biologie-Bengt. 'Aan de slag.'

Steppo draaide en keerde enkele gedroogde varens. Hij plakte een paar bladeren met plakband op een papier. Toen las hij in het biologieboek:

Wanneer de spore van een varen ontkiemt, ontstaat een gewoon-lijk groene, bladachtige, 4-6 mm brede en hartvormige voorkiem (prothallium). Aan de onderkant daarvan zitten rhizoïden, even-als antheridiën en archegoniën (of één van die twee). De voorkiem is de geslachtelijke, haploïde generatie, de gametofyt. Vanuit de zy-gote in de bodem van het archegonium groeit de ongeslachtelijke en diploïde sporevormende generatie op, de varen zelf.

Wat nou, verdomme? Wat nou, de varen zelf?

Steppo las de tekst nog eens door en had het ineens helemaal gehad met school.

Hij legde zijn hoofd op zijn bank en keek naar de oehoe.
Maar die was weg. Er was alleen nog een lege plek tussen de
andere roofvogels. Was die nou ook gestolen? Hij vroeg het
aan de leraar en kreeg als antwoord:

'Ja, die is gestolen, maar jíj moet rechtop zitten en doorwer-
ken.'

Steppo prutste een poosje aan zijn droge varens. Keek de
klas rond. Er was iets gebeurd sinds het begin van dit semester.
Er was iets gaan schuiven, gaan glijden. Het was alsof alles val-
lende was, en hij niets had om zich aan vast te houden. Zoals
wanneer de metrotrein een noodstop maakt, totaal onverwacht, midden in de tunnel. Al je gedachten worden zonder
pardon naar voren gesmeten, in het rond geslingerd – smak,
tegen de wand – en druipen naar beneden, en het is onmogelijk om te zien wat nog betekenis heeft en wat niet.

Deze dag was Håkan met een geschoren kop op school gekomen, Helen had ineens een tatoeage in haar nek, en Dicks
droom was uitgekomen: hij zat in Devils Dog en had een ketting met hangslot aangeschaft voor om zijn hals.

En dat was nog niet alles.

Tahsin had verkering met een vijf jaar oudere lulhannes.

Alles veranderde, iedereen was op weg naar iets anders. Wilde iets. En zelf was hij hooguit jaloers en... bang.

De bel ging.

De rij in de kantine was rommelig. Håkan en Dembo drongen
achter Steppo op. Tahsin en Åsa B. haalden Eva in. Nu was het
Steppo's beurt. Eva keek hem aan en stapte uit de rij. Håkan
stompte hem in de rug.

'Ga maar,' zei Eva zachtjes, haar blik op de vloer gericht.

Steppo aarzelde, keek om zich heen.

'Loop nou eens door, verdomme,' zei Håkan.

Steppo bleef staan, in verwarring.

Håkan haalde zowel hem als Eva in. Dembo drong op.

'Waar wacht je op?'

'Ga maar,' zei Eva zachtjes, 'anders raak je nog in de problemen.'

Steppo deed wat ze zei.

Er was worst, aardappels en witte saus. Steppo ging naast Håkan en Dembo zitten. Hij keek naar zijn bord. De schijfjes worst waren bleek, hadden grauwe randen, en de aardappels leken wel van rubber. Het zag er niet smakelijk uit. Steppo voelde zich niet lekker en maakte met zijn schijfjes worst figuren in de saus.

'Waar is Dick, verdomme?' Håkan keek zoekend rond.

'Hij repeteert met Devils Dog.'

Steppo dronk een paar slokjes melk, stond op en ging naar de schoolverpleegster. Ze was er. Steppo moest zijn broek omlaag doen en op de brits gaan zitten.

'Ai,' zei ze, 'dat ziet er lelijk uit.'

De verpleegster nam een stoel, ging voor hem zitten en inspecteerde de wond. Steppo had er een kompres op gelegd en tape om het been gewonden.

'Dat had gehecht moeten worden. Ben je er niet mee naar het ziekenhuis geweest?'

'Nee.'

'Dat had je wel moeten doen. Wat is er gebeurd?'

'Gevallen.'

De schoolverpleegster keek op, zocht zijn ogen, maar Steppo's blik dwaalde rond.

'Gevallen? Dit lijkt meer op een messteek of zoiets.'

'Ben op iets scherps gevallen.'

De verpleegster stond op, liep naar een kast om verband en een desinfecterend middel te halen.

'Hoe dan?'

'Ik rende om de bus te halen en viel toen op een kapot gesmeten fles.'

'Wat een pech zeg.'

'Ja.'

'Je moet uitkijken dat de wond niet gaat infecteren. Het ziet er niet goed uit.'

Ze maakte de wond schoon, verbond hem opnieuw en gaf Steppo instructies over de verzorging. Toen kreeg hij een schriftelijke verklaring waardoor hij voorlopig was vrijgesteld van gymnastiek. Lang geleden sinds er zoiets leuks was gebeurd.

Hij liep naar de deur. Testte de weegschaal, de digitale cijfers wezen zestig kilo aan.

'Wat was dat voor vergadering?'

'Vergadering?'

'Je was er vanmorgen niet.'

'Vergadering, oh jakkes ja,' zei ze.

Steppo stapte van de weegschaal af, draaide zich om, en ze vertelde verder:

'Er rent een idioot rond en... die valt meisjes lastig. De politie krijgt de griezel maar niet te pakken. Er zijn hier op school al vier slachtoffers gevallen. En op andere scholen nog veel meer.'

'De potloodventer met het duivelsmasker,' zei Steppo.

De schoolverpleegster ging achter haar tafel zitten.

'Ja, je hebt dus al over hem gehoord. Gisteravond heeft hij weer toegeslagen. In metrostation de Waterlelie. Het is niet normaal. Maar ga nu maar, en verzorg de wond goed. Als er nog iets is, kun je altijd langskomen.'

Er was een opstootje op het schoolplein, bij het basketbalveld. Gunnar werd omringd door leerlingen die naar hem riepen en schreeuwden.

'Je ziet zo dat hij het is,' zei een meisje.

'Vieze engerd!'

'Hé!' Ronny porde Gunnar in zijn zij. 'Jij laat toch porno-plaatjes aan de kinderen van de crèche zien? Bent wel gek op kleintjes, hè? Porno-Gunnar. Waar is het masker? Het duivels-masker. Zit het in je zak? Geef eens antwoord, joh.'

Gunnar was in de war en keek met grote ogen om zich heen, verlamd van schrik. Hij begreep niet wat er aan de hand was. Er stroomden steeds meer leerlingen toe, de kring om Gunnar werd dichter. Ronny greep hem beet. Schudde hem door el-kaar. Gunnar slingerde heen en weer.

'Geschifte griezel die je bent. Jíj bent het hè? Geef maar toe. Laat maar eens zien wat je in je zak hebt.'

Gunnar gaf geen antwoord, stond alleen wat onbeholpen met zijn armen te zwaaien. Ronny strekte zijn arm uit, stak zijn hand in Gunnars zak en viste iets op. Iedereen in de kring verdrong zich om het te zien. Het was een dode vogel.

'Ik ben vergeten hem te voeren,' zei Gunnar wanhopig. 'Ik ben vergeten hem te voeren, en nu wil hij niet meer eten.'

Ronny smeet de vogel op de grond en stompte Gunnar zo hard dat die viel en met zijn slaap tegen het asfalt klapte. Zijn bril vloog van zijn neus en hij bleef liggen. Ronny schopte hem in zijn buik. Kenny en Timo begonnen hem in de rug te trap-pen. Håkan fokte zichzelf ook op om Gunnar een schop te ge-ven. Steppo drong naar voren en greep hem beet.

'Stop, hij is het niet.'

'Dat weet ik wel,' zei Håkan met een grijns.

Ronny en zijn aanhangers renden weg, iedereen verspreid-de zich. Steppo ging op zijn hurken bij Gunnar zitten.

'Gaat het?'

Gunnar gaf geen antwoord. Hij greep naar zijn hoofd en zag bloed aan zijn hand. Het rood leek hem te verbazen, alsof hij niet wist wat het was. Op zijn gezicht was geen spoor van pijn.

Hij stond op, zette zijn bril op en liep weg.

Op de grond lag de vogel nog.

Steppo bukte zich en raapte hem op. Hij lag koud in zijn hand, was al lang dood. Het was een wonderlijke vogel.

'Wat is het voor soort?' vroeg een stem achter hem.

Steppo draaide zich om en daar stond Eva.

'Ik weet het niet. Maar ik kan niet tegen dode vogels.'

'En je houdt hem nog wel vast.'

Biologie-Bengt zat in zijn eentje in de klas toetsen na te kijken. Steppo liep naar binnen en legde de vogel voor hem neer.

'Wat is dit?'

'Dat is een nachtzwaluw. Hij is dood.'

'Ja.'

'Gooi hem maar in de prullenbak.'

Eva stond in de deuropening.

'Nee, geef mij maar. Ik weet wel een plek.'

Eva pakte de vogel.

'Ga je mee?' vroeg ze en ze keek Steppo in de ogen.

Hij wist niet wat hij moest zeggen. Meegaan met Eva? Kon hij dat doen? Hoe zouden ze... wat zouden ze zeggen? Hij keek haar aan. Haar bril zat scheef. Achter de glazen zaten een paar aardige, bruine ogen. En nog iets – een opvallende warmte. Een blik die hij nog nooit van een meisje had gekregen.

'Ik ga wel alleen,' zei ze.

'Nee, wacht,' zei Steppo.

'Hebben jullie nu geen les?' informeerde de biologieleraar.

Ze nam hem mee naar het grote park van het Frösundaslot. Het kasteel lag er verlaten bij en het park was helemaal dichtgegroeid. Er was een vijvertje, omzoomd door reusachtige eiken. Herfstbladeren zeilden over het inktzwarte water. Dit was een plek buiten de wereld, vergeten en leeg. Geen wegen, geen flats. Het was alsof je je, midden in de buitenwijk, ineens op een open plek in het bos waande. Het enige wat je hoorde was een zwak geruis van het verkeer op de E4. Twee eekhoorns joegen elkaar ritselend achterna en schoten langs een boomstam omhoog. Een specht klopte. Er stond een stenen bank van grove blokken bij de vijver. Ze gingen zitten.

'Je bent bang,' zei Eva.

'Nee hoor.'

Ze zaten stil bij elkaar en keken in het zwarte water van de vijver. De eekhoorns renden krijsend rond. De wind rukte aan de kruinen van de eiken, en de bladeren dwarrelden in het water.

'Je durfde met me mee te gaan.'

Steppo zei niets.

'Mooi is het hier hè? Ik zit hier vaak huiswerk te maken, maar niet als het te koud is. Weet je, ik zeg altijd tegen mijn moeder dat ik bij een klasgenoot thuis ben. Dat we samen huiswerk maken en lol hebben. Maar ik zit hier. Als ze dat zou weten, werd ze verdrietig. Maar ik kom hier graag en ik mag jou graag.'

Steppo keek haar aan, verrast en verbaasd.

'Waarom dan?'

Ze glimlachte en zei:

'We leggen de vogel hier en dan gaan we terug. Zijn we nog net op tijd voor Engels.'

Toen ze het schoolplein naderden was het pauze en het stond buiten stampvol leerlingen. Steppo bleef staan.

'Oké,' zei Eva, 'ik begrijp het. Als jij nu verder loopt, kom ik later van een andere kant. Maar ik ben blij dat ik het jou kon laten zien. Mooi was het, toch?'

'Ja.'

'We kunnen elkaar toch wel zien als niemand het ziet?'

'Ik weet niet,' zei Steppo.

'Ga nu maar.'

Steppo knikte en keek naar het asfalt. Hij liep het schoolplein op en voelde zich een waardeloze lafaard. Er was niets
mis met Eva. Misschien was Eva wel de enige met wie niets
mis was. Al het andere was mis. Hij draaide zich om en zag
haar omlopen naar de achterkant van de school. Ze was de enige die had gezegd dat ze hem graag mocht. Hij kon zich niet
herinneren dat iemand dat ooit eerder had gezegd. Of het was
heel erg lang geleden.

Waarom mocht ze hem? Hij begreep het niet, en hij kwam
er niet achter of dit een probleem was of iets goeds. Er was dus
iemand op deze planeet die hem graag mocht, en dat was Eva.
Hij zou achter haar aan moeten rennen en zeggen dat hij niet
laf was, dat ze natuurlijk samen het schoolplein op konden lopen. Maar naar zoiets zou zijn lichaam nooit luisteren.

Steppo liep snel het schoolplein over en door de deuren naar
binnen. Er was iets in zijn binnenste gaan gloeien. Het flakker-
de plotseling. Hij voelde een klein gelukkig lichtje in zijn
borst. In een paar stappen was hij boven aan de trap.

19

De duisternis daalde neer over Solna. De files kropen als lange glimwormen over de doorgaande wegen. Bussen en forensentreinen zaten vol. Iedereen moest van zijn werk naar huis.

Håkan zat alleen aan een tafel in een Chinees restaurant aan de Hoofdweg in Råsunda. Hij had niets besteld. Hij zat daar maar te zitten en keek onrustig om zich heen. Het was halfvijf 's middags. De gasten bladerden in de menuboekjes, bestelden iets en aten. Håkan had deze plek niet zelf uitgekozen. Het was een vergissing. Het voelde bedreigend. Hij krabde zich aan zijn armen, stond op en keek door het raam. Ging weer zitten. Probeerde zichzelf tot rust te brengen. Maar dat was moeilijk. Het kriebelde in zijn lijf. Shit, hij zou cooler moeten zijn.

Hij haalde een krant die op een lege tafel lag, en ging zitten lezen. Het was een lokale krant voor Solna Sundbyberg, die één keer per week uitkwam. Er stond iets in over een lekkage op de Oosterweg. Dat de brandweer daar was geweest en de kelderruimtes had leeggepompt. Verder stond er dat de infrastructuur in Solna Centrum zou worden verbeterd en dat Hotdog-Ingvar, die daar al tientallen jaren zijn hotdogkraam had, zou moeten verhuizen. Het krantje deed een oproep die je moest ondertekenen en inzenden om Hotdog-Ingvar te redden. Håkan bladerde en las lukraak. Vond een artikel over de duivelse potloodventer die had weer toegeslagen. De politie zei een goed signalement te hebben en werkte er hard aan om hem te grijpen. Maar de krant schreef dat het een schandaal was dat ze hem nog niet gepakt hadden, dat heel Solna doods-angsten uitstond, dat mensen 's avonds niet meer de straat op durfden.

Toen belandde hij op de middenpagina. Daar stond een foto van een grote, zwarte auto die total loss op het brede voetpad bij de tunnel naar het voetbalstadion stond. De kop luidde: 'Misdadige dollemansrit, drie gewonden'.

Håkan las de tekst: Gestolen auto in roekeloos tempo door Solna. Getuigen hadden twee jongeren van een jaar of vijftien, zestien uit de auto zien komen. Twee mensen moesten met beenbreuken en snijwonden naar het ziekenhuis worden ge-bracht. Er was nog niemand aangehouden. Maar de politie was wel hoopvol. Er was een hele lading gestolen goed in de auto gevonden, plus een flinke partij hennep. De eigenaar van de auto was een goede bekende van de politie, maar hij had een alibi en beweerde geen flauw idee te hebben hoe de spullen in zijn auto terechtgekomen waren. Aangenomen werd dat de autodieven van een strooptocht terugkwamen, en de politie dacht dat ze onder invloed waren.

Håkan voelde zich helemaal warm worden. Hij stond ver-domme midden in het centrum van de gebeurtenissen! Dat beviel hem wel.

'Wil je iets gebruiken?'

Håkan keek op. Er stond een ober die vriendelijk naar hem glimlachte.

'Nee, nog niet. Ik wacht op iemand die zo komt.'

'Ah ja, laat het dan maar weten. Hier heb je het menu.'

Håkan liep het hele scenario in gedachten nog eens door, wat hij zou zeggen en dat hij niet de minste onzekerheid mocht tonen. Hij krabde met zijn nagel verfschilfers van de ta-fel. Er mocht niets verkeerd gaan, dan kon het gevaarlijk wor-den. Híj had het stuur in handen, en hij mocht het overwicht niet verliezen. Maar waarom kwam hij nou niet?

Håkan keek nog eens rond en ontdekte een stuk verderop een man aan een hoektafel die naar hem zat te kijken. Hij was gekleed in een groen jack, met de capuchon omhoog, en hij droeg een zonnebril. Er stond geen bord op zijn tafel.

Hij was er al.

De man stond op, liep regelrecht naar Håkans tafel, trok er een stoel onder vandaan en ging tegenover hem zitten. Ze keken elkaar zonder iets te zeggen aan. Håkan kon achter de donkere brillenglazen alleen maar een paar ogen vermoeden. Hij krabde zich weer aan zijn armen. De man schoof een enveloppe over de tafel. Håkan maakte die open, een stapeltje duizendjes. Hij telde.

'Nu is het jouw beurt mij iets te geven.'

'Nee,' zei Håkan, 'nog niet. Heb het fotorolletje nog niet vol.'

Håkan glimlachte, de ijskoude jongen. Maar onder tafel klapperden zijn benen.

'Ik zou niet overmoedig worden als ik jou was. Dat is geen goed idee.'

'Ik ben niet bang voor jou. Ik ben nergens bang voor.'

'Dat zou je wel moeten zijn. Zeker als je zo slecht autorijdt.'

'Hoe weet jij daar verdomme iets van?'

De man stond op, legde iets op tafel en liep weg. Håkan pakte het ding verbaasd op, draaide het rond, begreep er niets van. Het was een kindje Jezus van plastic.

De ober kwam naar zijn tafel.

'Heb je al een keuze kunnen maken?'

20

Het was vrijdag. Dick, Steppo en Håkan zaten in de kelder en schonken de wijn in flessen. Håkan hield de trechter vast en Dick goot het uit de jerrycan. Hij deed het voorzichtig, zodat de droesem de wijn niet zou vertroebelen.

'De meiden worden straks superdronken, én supergeil,' zei Dick.

'Op jou?' zei Håkan.

'Ja,' zei Dick.

'Ze gaan vast kotsen,' zei Steppo. 'Die rotzooi gaat er bij mij niet meer in, nooit meer.'

Håkan nam een slok uit een fles.

'Lekker.'

Åsa B. had zich mooi gemaakt en de hele flat op orde gebracht. Haar ouders waren het weekend weg. Ze zette schalen chips en zoute stengels op de huiskamertafel. Keek de stapel cd's door die ze wilde draaien. Dacht lang na en probeerde te bedenken wat HIJ mooi zou vinden. Het hele feest was voor hem, voor Fredrik. De hele week zat hij al in haar hoofd. Als ze HET zou doen, dan met hem. Ze voelde dat dat helemaal oké zou zijn, absoluut fantastisch, ze voelde kriebels in haar buik.

Ze wist niet zoveel meer van hem dan dat hij een talenpakket op het Vasalund had en in de vijfde zat. Maar God wat was hij knap, waanzinnig knap!

Van welke muziek zou hij houden?

Helen en Tahsin maakten dipsaus in de keuken. Ze lachten, en Helen probeerde Tahsin uit te horen over Tony C. Backman. 'Hij is zo attent,' zei Tahsin. 'Kan ervoor zorgen dat je je goed voelt. Dat je je iets waard voelt.'

'Ik ben best jaloers,' zei Helen. 'Hij lijkt me zo spannend. Mysterieus. Komt hij vanavond?'

Tahsin schoot in de lach en zei:

'Nee, hij... Tja, dit is te kinderachtig.'

'Wat doet hij voor werk?'

'Ik weet niet precies. Hij heeft een bedrijf, koopt en verkoopt spullen. Maar hij praat er niet over.'

Er werd aangebeld.

'Ik doe wel open,' riep Åsa B. uit de huiskamer. Ze schoot de hal in. Bekeek zichzelf nog even in de spiegel. Duwde haar borsten omhoog, wreef langs haar heupen en streek gauw nog even door haar haren. Toen deed ze open.

Daar stonden Steppo, Håkan en Dick met hun rinkelende Co-optassen vol flessen wijn.

'Ha, daar zijn jullie!'

'Ja,' zei Håkan. 'En we hebben goeie wijn bij ons.'

Hij was al dronken.

De boys installeerden zich op de bank in de huiskamer. Steppo nam een handvol chips en keek om zich heen. De kamer was gemeubileerd met donkere, zware meubels. De bank en leunstoelen waren bekleed met bruin fluweel. Aan de dwarsmuur hingen porseleinen borden met bootmotieven erop. Het was een serie collectors items. Boven het tv- en stereomeubel hingen drie schilderijen van huilende kinderen en een zeekapitein met pijp en zuidwester. Op de vloer aan weerszijden van een grote eiken kast stonden twee levensgrote, glimmend geglazuurde luipaarden van porselein. Aan het plafond hing een kristallen kroonluchter. Steppo probeerde te ontdekken hoe die geconstrueerd was, maar dat hielp niets voor zijn eigen bouwwerk. Deze was aanzienlijk groter en zat totaal anders in elkaar.

'Glazen,' zei Håkan. 'We moeten glazen hebben.'

Hij stond op en haalde glazen in de keuken. Åsa B. zette muziek op. Ze gingen allemaal om de tafel zitten. Håkan kwam terug met glazen voor iedereen en schonk wijn in. Tahsin rook eraan, dat was voor haar genoeg. Dick sloeg de wijn achterover en probeerde te kijken alsof dat een fluitje van een cent was. Maar hij slikte en slikte en deed erg zijn best om de boel binnen te houden. Het lukte hem zowaar. Håkan dronk rustig en zei:

'Het eerste glas is even doorbijten, maar daarna gaat het best wel.'

Åsa B. dronk met hele kleine teugjes.

'Wat is dit voor gore paardenpis? Dit is toch niet te drinken!'

Dick schonk opnieuw voor zichzelf in. Hij voelde hoe zijn lichaam begon te tintelen, voelde hoe het leven zich weer van zijn vrolijke kant liet zien, hoe zijn dromen zich opdrongen. Hij begon over Devils Dog te praten en het grote optreden in het stadion, en dat ze een nummer zouden spelen dat híj gemaakt had.

'Op de triangel soms?' zei Håkan en hij moest zo lachen dat hij wijn op de leunstoel morste.

'Dat moet je wel afvegen,' zei Åsa B.

Håkan haalde papier.

Helen worstelde met haar wijn, wist het glas naar binnen te werken, maar voelde hoe haar maag zich omdraaide.

'Ik moet kotsen.'

Ze rende naar de wc en bleef boven de bril hangen. Maar haar maag kwam weer tot rust. Toen begon haar hoofd ineens te tollen. Ze voelde hoe de alcohol aansloeg en begon te lachen. Ze had nog nooit gedronken.

Steppo liet zijn wijn onaangeraakt staan. Helen kwam terug

van de wc en Håkan vulde haar glas bij. Åsa B. draaide haar cd's kriskras door elkaar, sprong van het ene nummer naar het andere, op jacht naar wat Fredrik mooi zou vinden.

Steppo liep het balkon op en keek uit over Solna. Het uitzicht was mooi, ook al was dit pas vanaf de zevende verdieping. De auto's trokken door de duisternis over de Frösundabaan. Een forensentrein denderde met knetterende bovenleidingen de tunnel onder Hagalund in. Hij dacht aan Tahsin. Hoe mooi ze was en hoe onbereikbaar. Hij was niet verliefd, hij was ongelukkig in de liefde. Hij had altijd pech, het ging nooit eens vanzelf. Hij voelde zich een stuk onbenul. Hij voelde zich onbehaaglijk. Voor de meeste dingen kon hij trouwens 'on' zetten. Maar wie was Tahsin? Wie was ze eigenlijk? Wist hij dat, of wilde hij alleen iets moois van haar maken?

Hij liet zijn blik afdwalen naar het Frösundaslot, de witgekalkte torens lichtten op in het donker. Zijn gedachten dwaalden af naar Eva. Hij vroeg zich af wat zij op zo'n vrijdagavond deed. Op het feest was ze niet. Hij zag haar in gedachten bij de zwarte vijver zitten, omgeven door oeroude eiken. Misschien had ze wel brandende kaarsjes rondom de dode vogel gezet. Misschien kleedde ze zich nu uit om het water in te lopen en zichzelf in de vijver te verdrinken.

Over de Råsundaweg reed een brandweerauto met loeiende sirenes en zwaailichten.

Het werd koud op het balkon. Hij kon beter naar huis gaan en het feest laten voor wat het was. Dit was sowieso geen feest. Hij ging weer naar binnen.

Helen zat op de vloer en was helemaal op dreef, zat met een stupide glimlach heen en weer te wiegen op de muziek. Håkan maakte foto's van haar. Helen keek op en rukte de camera uit zijn hand.

Håkan schreeuwde:

'Nee, verdomme, geef terug!'

'Ik wil niet op de foto,' zei Helen.

Håkan pakte haar snel zijn camera weer af.

'Die is goud waard.'

'Hoe bedoel je?' vroeg Helen. 'Dat is toch gewoon zo'n wegwerpcamera?'

'Drink nou maar van je wijn.'

Helen dronk en begon te praten over satanistensektes. 'De filosofische kerk van Lucifer. De grootste ligt in Kremlin-Bicêtre, een voorstad van Parijs. Die heeft duizenden aanhangers.'

'Wat een ongelooflijk geouwehoer,' zei Steppo.

Helen keek hem aan, knipoogde en glimlachte.

'Ik heb jullie wel gezien hoor.'

'Wat bedoel je?'

'Jou en Eva. Hoe jullie spijbelden van wiskunde en wegslopen.'

'Niet waar, je hebt het verkeerd gezien.'

Alle blikken waren op Steppo gericht.

'Hand in hand, hè,' zei Helen lachend.

'Echt?' brulde Dick.

'Natuurlijk niet. Shit man, wat heb ik nou met die engerd te maken?'

'Hij liegt, ik heb ze gezien.'

'Wie geloven jullie nou, die zwarte trol of mij?'

'Het zou me niets verbazen,' zei Tahsin.

Steppo spreidde zijn armen.

'Ik zweer het. Wat zou ik nou met haar moeten?'

'Ik geloof je,' zei Dick. 'Iets anders kan ik me niet voorstellen.'

'Maakt me ook geen reet uit,' zei Helen half onverstaanbaar, 'ik heb je altijd al een sukkel gevonden. Je past perfect bij haar.'

En toen kletste ze door over zwarte diensten en rituele seances. Håkan schonk haar nog eens wijn in. Steppo ging op de

bank naast Tahsin zitten. Nu kon hij absoluut niet meer weggaan, dat zou als bewijs kunnen worden opgevat. Dat hij de
pest in had, en dan zouden ze erover kletsen. Hun fantasie
over hem en Eva zou op hol slaan, en die lol gunde hij hun niet.

Dick praatte over gitaren en snuffelde samen met Åsa B.
door de cd's. Hij vond er een waar niemand anders naar wilde
luisteren. Åsa B. protesteerde, maar Dick zette de cd gewoon
op en speelde op zijn luchtgitaar. Åsa B. begon de smoor in te
krijgen en keek op de klok.

'Waar blijft Fredrik nou, verdomme?'

Tahsin stak een sigaret op en blies de rook met een dodelijk
verveelde zucht naar het plafond. Steppo zocht hardnekkig
naar iets om over te praten, iets wat haar zou interesseren, en
perste er met moeite uit:

'Vond jij de wiskundetoets moeilijk?'

Tahsin wierp hem een blik toe die maar voor één uitleg vat-
baar was: hij was een idioot. En ze had gelijk.

Helen vertelde Håkan hoe je een demon opriep. Er waren er
tweeënzeventig, en ze hadden allemaal andere eigenschap-
pen. Åsa B. stond op, liep naar het raam en daarna naar de
deur. Opende die, deed hem weer dicht en ging weer op de
bank zitten. Ze rook aan de wijn. Maar dronk niet en zei niets.

'Je hebt twee zwarte hanen nodig, aarde van het kerkhof uit
een pas gegraven graf, zout en alcohol. Het moet een donderdag zijn, met volle maan...'

Steppo keek naar de grote porseleinen luipaarden. Zijn arm
lag achter Tahsin op de rugleuning van de bank. Als hij zijn
arm nu liet vallen, zou die om haar heen slaan. Wat zou er dan
gebeuren?

Dick gooide met zijn luchtgitaar een bloempot omver en
staarde verbaasd naar de scherven en de aarde.

'Stomme sukkel die je bent!' riep Åsa B. 'Ruim het zelf maar
op.'

'Ik speel alleen nog even dit nummer.'

Steppo liet zijn arm van de rugleuning vallen en plotseling lag die om Tahsin heen. Ze schrok op en staarde hem aan.

'Wat doe jij nou, verdomme?'

Maar hij liet de arm liggen. Dit was een regelrechte zelf-moordpoging, hij probeerde die ongedaan te maken, maar leek wel versteend.

Ze sloeg hem op zijn dij, hard als een hamerslag. Steppo schreeuwde het uit en kromp ineen. Helen stokte midden in haar bloedige hanen en demonen en Dick bleef halverwege een luchtakkoord steken. Iedereen staarde naar Steppo die voorovergebogen met zijn voorhoofd op tafel lag, kreunend van de pijn. Tahsin schrok.

'Zo hard was het toch niet?'

'Niks aan de hand,' zei Steppo met een pijnlijk grijns.

'Dat was niet de bedoeling. Of nou ja, wel, maar niet zo hard. Sorry hoor.'

'Het is oké,' zei Steppo. 'Maar mag ik je een ding vragen?'

'Ja.'

'Waarom heb je hem de brief laten zien?'

'Ooooh, sorry, sorry. Maar die was zo grappig!'

Tahsin reikte naar de schaal met chips en kwam tot de ont-dekking dat die leeg was. Ze draaide zich om naar Åsa B. en vroeg of er nog meer was. Maar Åsa gaf geen antwoord, ze stond op en riep:

'Ga allemaal maar naar huis. Het feest gaat niet door.'

'Hè, wat?' zei Dick. 'Kalmeer eens, joh. Neem wat wijn, ver-domme, dan wordt het wel feest.'

Åsa B. zwaaide wild met haar armen.

'Het is over en uit. Oprotten.'

Helen keek op, helemaal verdwaasd. Ze was net bezig om de verschillende demonenrassen en hun talenten op te sommen. Haar hoofd schokte steeds opzij, alsof ze in een schuddende treinwagon zat. Ze begreep er niets van, het werd net zo leuk.

'Oprotten jullie.'

Tahsin liep naar Åsa B. toe, sloeg haar armen om haar heen en zei:

'Hij komt vast nog.'

'Denk je het echt? Het is al...'

'Bel hem,' zei Tahsin.

Åsa B. belde. Iedereen hield zich stil. Zelfs Helen slaagde erin haar mond te houden te midden van al haar demonen.

Aan de andere kant werd opgenomen.

'Hoi,' zei Åsa B. 'Met wie je spreekt? Hoor je dat niet... Niet? Je weet wel, van het feest op Vasalund? Ik was... Anna? Nee, niet Anna. Åsa. Ja, die blonde, we hebben zitten praten... Ja precies, dat ben ik en ik geef een feest, je zei dat je zou komen... Niet? De stad in... maar...'

Åsa B. staarde met de telefoon in haar hand voor zich uit. Ze had tranen in haar ogen.

'Wat een rotstreek,' zei Tahsin.

Åsa B. leegde haar glas wijn. Ze slikte en slikte. Håkan lachte en schonk haar nog eens in. Ze dronk haar glas weer leeg. En een derde.

Toen stortte ze in. Ging staan en schreeuwde in het wilde weg:

'Shit, ik wil dood!'

Ze rende naar haar kamer en smeet de deur dicht. Dick keek haar na. Het was een poosje stil.

Toen ging Helen door:

'Waar was ik? Oh ja, Igneous zijn vuurdemonen. Lucifugi en Heliophobes zijn twee verschillende namen voor hetzelfde ras. Ze hebben een hekel aan zonlicht en laten zich alleen 's nachts zien. Het zijn de allerkwaadaardigste demonen en ze kunnen mensen doden door ze alleen maar aan te raken of in hun gezicht te ademen.'

Dicks blik was gevestigd op de deur van Åsa B.'s kamer. Hij leegde zijn glas. Hij kon zich niet langer beheersen, hij moest en zou haar troosten. Hij wilde zoveel met haar. Het borrelde overal, hij móést gewoon. Dick stond op, liep Åsa B.'s kamer binnen en deed de deur achter zich dicht. Het was donker. Hij liep op zijn tenen naar haar toe en ging op de rand van het bed zitten. Legde zijn hand op haar buik.

'Ga weg,' zei ze.

En begon onbedaarlijk te huilen. Haar gezicht werd kletsnat. Dick trok zijn T-shirt uit en droogde haar tranen voorzichtig en teder.

'Wat een klerefeest,' zei ze. 'Ik ben totaal mislukt.'

Ze lag op bed om zich heen te schoppen en te slaan. Gooide knuffelbeesten tegen de muur zodat de posters op de grond vielen.

'Shit, wat een klootzak, die Fredrik, wat een zwijn! Anna? Wie is verdomme Anna?'

'Een of andere aap,' zei Dick.

'Een grote griezelige gorilla, gorill-Anna.'

Dick streek met zijn hand over haar wang. Åsa B. was warm, dat kwam door de wijn. Ze kalmeerde weer een beetje.

'Pis-Anna,' zei Dick.

Åsa B. lachte door haar tranen heen: 'Nee. Pis- en poep-Anna.'

'Anna Aasgier.'

Dick ging naast haar liggen. Ze lagen een poosje stil naast elkaar in het donker. Dick pakte haar hand en ze liet hem begaan.

'Dit nummer heb ik voor jou gemaakt.'

Dick zette een eigenhandig in elkaar geknutselde, Engelse tekst met ernstige grammaticale fouten in. Het meisje dat hij bezong heette Rosie.

'Rosie?' vroeg Åsa B.

'Ja, dat maakt het wat geheimzinniger.'

Maar eigenlijk was het omdat Åsa voor een liedje een onmogelijke naam was.

'Gaat het over mij?'

'Ja,' zei Dick. 'We gaan het in het stadion spelen en jij krijgt een vrijkaartje.'

Åsa B. draaide zich naar hem toe.

'Lief. Maar wie is nou verdomme die Anna? En die klootzak van een Fredrik, ik haat hem.'

'Ik ook.'

Dick liet zijn vingers over haar lippen glijden, pikte onderweg een traan op en bracht die naar haar mond. Ze glimlachte. Dick drukte zich dichter tegen haar aan. Kuste haar.

'Nee,' zei Åsa B. en ze duwde hem van zich af.

'Maar ik hou van je.'

Hij kuste haar voorhoofd en zei:

'Wacht even.'

Dick ging de kamer uit en kwam even later terug met een fles wijn en twee glazen.

'Proost,' zei Dick.

'Nee, ik wil niet drinken. Dat spul is goor.'

'Oké, ik heb hier iets beters.'

Dick legde een pijp neer en schoof een luciferdoosje open. Hij schudde er een bruin klompje uit, op het nachtkastje.

Åsa B. lachte plotseling en droogde haar wangen af.

Helen was op de vloer in slaap gevallen, het werd ineens doodstil. Tahsin zette de tv aan. Zapte naar een idioot quizprogramma. Håkan schonk meer wijn in, en goot een plens naast het glas. Steppo zag dat de jeansstof op zijn dij donker en nat van het bloed was. Tahsin zag het ook.

'Wat is er gebeurd? Dat is toch de plek waar ik je sloeg... kan tóch niet...?'

'Hij is gewond geraakt bij een botsing,' zei Håkan.

Steppo keek hem streng aan, maar het was al te laat. Håkan was inmiddels in de opschepfase van zijn dronkenschap en ging door:

'We waren straalbezopen, hebben een auto gejat en die total loss gereden. Het heeft zelfs in de krant gestaan en...'

'Bek dicht,' zei Steppo.

'Wat nou?' zei Håkan. 'Het is toch waar? Het was een waanzinnige klereklap!'

Tahsin gaf Steppo een por.

'Waren jullie dat?'

Steppo haalde zijn schouders op. Het was nu toch te laat. Hij reikte naar de schaal op tafel en nam een handvol zoute stengels.

'Is dat echt waar?' vroeg Tahsin. 'Waren júllie dat? Jeminee!'

'Ja,' zei Håkan, zich totaal niet bewust van wat hij zojuist had aangericht.

'Idioot!' zei Steppo.

'Hoezo?'

Tahsin snelde naar de keuken en Steppo liep achter haar aan.

'Wacht even, dan leg ik het uit.'

Ze snoof op een vreemde manier en leunde tegen het aanrecht met haar armen over elkaar, woest. Ze wachtte, maar Steppo kon niet bedenken aan welke kant hij moest beginnen.

'Hoezo?' schreeuwde Håkan vanuit de huiskamer. 'Waarom word je nou zo giftig, man? Het was toch geweldig, en we hebben het gered. Met maar een stuk of honderd kreukels in het kruispunt.'

Tahsin vulde een glas met water en dronk het gulzig leeg. Steppo wendde en keerde mogelijke zinnen in zijn hoofd. Ten slotte maakte hij een keuze:

'Vertel hem niets. Hij maakt ons af.'

'Wie reed er? Er zijn gewonden gevallen!'

'Håkan. Maar ik kan hem niet de schuld geven, ik had moeten...'

'Schei uit met dat geouwehoer. Jij moet altijd zo superslim en aardig zijn, om over je nek te gaan! Je denkt dat je alles weet, maar je bent een nul, een nul komma nul, een Eva-type. Ik haat je. Dat je pa is doodgegaan geeft je nog geen vrijbrief. En waarom achtervolg je mij met belachelijke brieven en...'

Toen schreeuwde ze:

'Verdwijn uit mijn leven!'

Steppo stond perplex. Hij begreep er niets van. Tahsin ging door:

'Je probeert de hele tijd iets met mij en snapt niet dat ik je haat. Gigantische plank voor je kop. Probeert de goede, aardige jongen uit te hangen, maar jat auto's en shit. Tony was bijna de bak in gedraaid. Er lagen drugs en gestolen spullen in de auto, waar zijn jullie verdomme mee bezig?'

'Maar die waren niet van ons.'

'Jullie zijn een stelletje criminelen.'

Håkan stond in de deuropening van de keuken, hield zich vast aan de deurpost en deinde heen en weer. Tahsin wierp hem een boze blik toe.

'En wat moet jij, verdomme?'

Håkan grijnsde als een dronkeman.

'Ik weet wie het is.'

'Wie bedoel je?' brieste Tahsin.

'Wie denk je, verdomme? De kerstman, of zo?'

'Ik snap er niets van!' Steppo sloeg zijn handen voor zijn gezicht en hij zakte op een keukenstoel neer.

Håkan toverde een stapel kreukelige duizendjes uit zijn zak en wapperde ermee voor zijn gezicht.

De deur van Åsa B.'s kamer ging open en een warrige Dick kwam naar buiten, had alleen nog zijn onderbroek aan, een roze, van glimmende zijde.

'Een condoom, heeft er iemand een condoom?'
Hij ging voor Håkan staan en tikte hem op zijn bovenarmen.
'Jij hebt een condoom in je portemonnee. Toch?'
'Die heb ik zelf nodig.'
'Maar alsjeblíéft, het gaat NU gebeuren!'
'Nee, zei ik.'
'Zoek eens in de ouderlijke slaapkamer,' zei Steppo. 'Check het nachtkastje.'
'Shit.' Dick verdween, ging zoeken en scheurde iets open.

Håkan zakte op de bank neer en schonk de laatste wijn in. Maar voor hij zijn glas leeg had, sliep hij al. Tahsin zapte langs de tv-kanalen. Steppo liep de hal in en zocht zijn schoenen. Er werd aangebeld. Steppo kon maar één schoen vinden. De bel ging weer. Als dat die Fredrik was, kwam hij te laat. Steppo deed open met de schoen in zijn hand.
Het was Tony C. Backman. Ze keken elkaar aan. Steppo voelde hoe hij werd gemeten en gewogen en te licht bevonden. Tony vroeg glimlachend:
'Is ze hier?'
'Ja.'
'Haal haar even, ik wacht.'
Steppo sloot zijn ogen. Tony C. Backman was van gene zijde. Hij was overduidelijk zo'n type dat Helen in seances en zwarte diensten wenste op te roepen.
'*Het* is hier om je op te halen.'
'Het?' vroeg Tahsin.
'Ja.'
Tahsin zette de tv uit en ging. Steppo vond zijn andere schoen, trok ze allebei aan en keek naar Håkan. Die snurkte en kwijlde. Het was nog vroeg. Het was een minifeestje geweest, als je het überhaupt een feest kon noemen.

Helen kwam in beweging, krabbelde overeind, maakte een snikgeluid en vloog met haar handen voor haar mond naar de wc. Stootte onderweg een porseleinen luipaard om, dat viel met een klap om en de scherven gleden over het parket. Helen gaf over.

Steppo deed zijn jack aan en wilde net vertrekken toen de deur van Åsa B.'s kamer openzwaaide en Dick naar buiten stormde, naakt, blij en juichend.

'Ik heb het gedaan, ik heb het gedaan!'

Hij brulde en sprong, raakte het plafond aan met zijn vingers.

Åsa B. stond in de deuropening, gehuld in haar dekbed.

'Je zei dat je een condoom had. Waarom heb je gelogen?'

'Maar de pil dan?'

'Nee, die slik ik niet.'

Toen liet ze zich omlaag zakken en bleef met haar rug tegen de deurpost geleund zitten. Dick trapte op een scherf van het luipaard.

'Ai, ai, ai, shit.'

Hij sprong op één been rond.

Steppo verliet de flat en drukte op het knopje van de lift. Hij had schijt aan Dick, hij had schijt aan Håkan. Hij had schijt aan alles.

21

Het was zondag. Steppo werd vroeg wakker en ging aan het werk met de kristallen kroonluchter. Hij legde alle onderdelen op een rij op de tafel in de huiskamer en meende nu te weten hoe het moest. Zijn moeder kwam, gehuld in een ochtendjas, de kamer binnen.

'Gaat het lukken?'

'Tuurlijk gaat het lukken.'

'Daar ben ik blij om.'

Steppo schoof met de stukjes. Draaide één van de grote kristallen rond in het licht dat door het raam viel. Het schitterde blauw en groen. Hij zou haar blij maken.

De kleine, langwerpige kristallen moesten onder de staafvormige stukjes aan de eerste cirkel bovenaan worden vastgemaakt. De middelgrote in het midden aan de ronde constructie, en de grootste onderaan. Dit was niet dezelfde kroonluchter als die op het plaatje in de catalogus. De grootste stukken van deze moesten in de cirkel onderaan. Daarna moesten de kleinste, ronde glasstukjes met een gat erin aan een lint worden geregen en als guirlandes tussen de kaarshouders hangen. Steeds de stoel op- en afstappend maakte Steppo de kristallen vast.

De bel ging, dat was wel een beetje vreemd vroeg voor zondagse begrippen. Steppo vreesde het ergste en bleef op de stoel staan. Zijn moeder deed open. Steppo hoorde mompelende stemmen in de hal, toen riep zijn moeder:

'Het is voor jou.'

Steppo stapte van de stoel af, en in de deur stond Ronny met een blauwe, opgezwollen neus.

'Hoi, heb jij Håkan gezien?'

'Nee? Vandaag niet, het is pas...'

'Hij is verdwenen. Wanneer heb jij hem voor het laatst gezien?'

'Afgelopen vrijdag. We waren op het feest van Åsa B. Hij was er nog toen ik wegging.'

'Hij is helemaal niet meer thuisgekomen. En we hebben overal gezocht. Hij is verdomme nergens te vinden.'

'Hè? Hij kan toch niet zomaar weg zijn.'

'Jawel.'

'En de politie dan? Hebben jullie met de politie gepraat?'

'Ja, ma heeft aangifte gedaan. Ze hebben het bij alle ziekenhuizen en zo nagevraagd. En ze zijn een opsporing begonnen, maar ze zeggen dat er elk jaar meer dan duizend mensen in Stockholm verdwijnen, en die komen allemaal terug. Bijna allemaal. Ze zeggen dat we gewoon moeten afwachten, dat hij vast wel weer opduikt. Bij een vriendinnetje is blijven plakken of zo. Maar dat is gewoon gelul. Hij heeft geen vriendinnetje, anders had hij me dat wel verteld.'

'Heb je met Charlie gepraat? Of hij daar is geweest?'

'Ja, maar die Turk heeft hem niet gezien. Niemand heeft hem meer gezien, sinds vrijdag. Er is iets gebeurd.'

'Vreemd,' zei Steppo.

'Als je iets hoort, laat het dan weten.'

Ronny deed de liftdeur open en zei 'doei'.

'Wat heb je met je neus gedaan?'

Ronny hield zijn duim en wijsvinger in de lucht een klein beetje van elkaar af.

'Op zo'n haartje na had ik de Duivel te pakken.'

'Heeft hij je geslagen?'

Ronny gaf geen antwoord, de liftdeur viel achter hem dicht. Steppo ging verder met de kristallen kroonluchter.

Håkan kon niet verdwenen zijn. Hoe dan? Ronny had zichzelf gewoon lopen opfokken. Håkan was vast op weg ergens naartoe. Hij hoefde toch niet alles aan Ronny te vertellen?

Steppo had de bovenste rij kristallen af. Het zag er goed uit. Hij begon met de volgende. De glasstukjes rinkelden en klingelden tegen elkaar. Zijn moeder installeerde zich met een kop koffie op de bank.

'Hij wordt mooi,' zei ze. 'Maar hij is wel aan de kleine kant, hè?'

'Wacht maar tot-ie af is.'

De laatste toer, met de grote kristallen, was ingewikkeld. Ze moesten er van binnenuit in. Steppo begreep dat hij eigenlijk andersom had moeten beginnen, de grote eerst had moeten doen. Maar zo ging het ook wel. Hij was in een mum van tijd klaar. Nog maar vier stukjes te gaan. In zijn hand had hij er drie. Hij keek op de tafel, zocht op de grond, maar er ontbrak een kristal.

'Het zal toch niet waar zijn!' riep zijn moeder.

Steppo doorzocht de doos waar alles in had gezeten, graaide tussen het zijdepapier, maar vond niets.

Hij bouwde het af, maar er zat een spleet in de onderste rij, als een ontbrekende tand.

'Hij is zo toch ook mooi,' deed Steppo een poging.

Maar zijn moeder zag alleen het ontbrekende stukje.

'Wat een stomme koop. Dat ik me zo...'

Steppo draaide de kroonluchter zo dat de spleet van de bank af gedraaid was en aan de andere kant belandde. Maar zijn moeder stond op en liep eromheen. Ze wilde alleen maar zien wat er ontbrak.

'Laat het maar aan mij over,' zei Steppo. 'Ik bel Ellos, dan moeten ze het kristal maar opsturen. Dat is vast geen probleem.'

Zijn moeder begon te huilen, liep naar haar slaapkamer en trok de deur achter zich dicht.

Kon je maar verdwijnen.

Het werd een eigenaardige maandag.

Dick zat 'm te knijpen, kon zich niet concentreren, was de hele dag gestrest.

'Denk je dat ze zwanger is?'

Åsa B. wilde niet met hem praten. Ze zag hem niet eens staan. Dick was lucht.

'Denk je echt dat ze misschien zwanger is geraakt?'

'Hoe weet ik dat verdomme nou?' zei Steppo.

'Ik wil een bewijs,' zei Dick.

En Håkan kwam de hele maandag niet opdagen.

Steppo belde naar Ellos toen hij thuiskwam.

'Nee, dat gaat niet,' zei de dame van Ellos.

'Hoezo: gaat niet?'

'U moet de hele lamp terugsturen, dan zenden wij een nieuwe toe.'

'Wat nou? Moet ik hem weer uit elkaar halen?'

'Ja, we hebben geen losse onderdelen. U krijgt een gloednieuwe.'

'Maar kun je niet gewoon één kristal uit een andere doos pakken en aan ons opsturen?'

'Nee, dan mankeert er iets aan díé doos.'

'Maar er mankeert ook iets aan onze doos.'

'Ja, en je hoeft hem alleen maar terug te sturen, wij betalen de transportkosten. Dan krijgt u een nieuwe lamp.'

'Maar ik wil niet nóg een kristallen kroonluchter bouwen.'

'Zo zijn de koopvoorwaarden.'

Steppo werd razend, schreeuwde 'kleretakkewijf', en smeet de hoorn op de haak.

Håkan kwam de hele dinsdag ook niet opdagen. En de woensdag niet. Over een of twee dagen hoefde je je niet op te winden, maar nu werd het echt onbehaaglijk. Dick zat almaar in de schuilkelder met Devils Dog te repeteren. Steppo liep naar de schoolbibliotheek, maar die zat op slot. Toen hij thuiskwam schreef hij Ellos een brief. Zijn moeder moest dat kristal hebben. Hij schreef ook dat er een waarschuwingstekst in de catalogus zou moeten staan, dat gevoelige mensen beter niet per postorder konden kopen. En dat de plaatjes oplichterij waren, en dat ze naar het magazijn moesten gaan en een doos openmaken. Hij sloot af met: 'We wonen op de dertiende verdieping en dat is een pokkenend naar beneden!'

Op donderdag bracht Steppo reclame rond. Charlie had hem nieuwe folders gegeven met een uitgebreide menukaart en een gewijzigde prijslijst. Het ging langzaam, hij had verdomd veel pijn in zijn dij. Steppo kwam bij Håkans flat. Hij ging met de lift naar de dertiende en werkte zich omlaag. Toen hij voor Håkans voordeur stond, belde hij aan. Misschien zou Håkan opendoen? Hij was vast gewoon naar een...
Ronny deed open.
'Hebben jullie al iets gehoord?'
Ronny schudde zijn hoofd.
'Nee, niets.'
Steppo stond te dubben of hij over de autodiefstal en de crash zou vertellen. Vragen of Ronny er iets vanaf wist. Maar hij zei niets. Hij had zelf in die auto gezeten en...
'Weet jij of hij iets heeft gedaan wat ik niet weet?' vroeg Ronny. 'Foute vrienden gekregen?'
'Nee.'
'Hij zou nooit iets doen zonder eerst met mij te praten. Dat doet hij altijd.'

Ze keken elkaar zwijgend aan. Steppo had Ronny nooit gemogen. Verwaande kwast, deed graag gewichtig, en oh zo gevaarlijk. Maar nu zag hij er bang uit, bang en ongerust. Ronny deed de deur dicht zonder nog iets te zeggen. Steppo bleef staan en staarde naar het bruine hout. Er was een hakenkruis in gekerfd. Daaronder stond:

KLOTE-NAZI-ZWIJN. JE GAAT ERAAN!

Dat was hem niet eerder opgevallen.

Vrijdagochtend. Steppo versliep zich. De hele nacht was hij steeds in slaap gevallen en weer wakker geworden, in slaap gevallen en weer wakker geworden. Hij had voor de grot gestaan, maar telkens als hij een stap richting de donkere opening zette, werd hij wakker.

Hij kwam laat op school. Op het schoolplein stond een politieauto geparkeerd.

Ze hadden godsdienst met Gun. Steppo kwam midden in de les het lokaal binnen. Gun keek hem aan. Hij ging op zijn plaats zitten. Ze lazen een stuk over geloof en leven in Babylon. Steppo sloeg zijn boek open, hij had amper drie regels gelezen toen De Cipier in de deur opdook.

'Stefan, kom mee. We gaan naar de rector.'

De klas keek naar hem. Alle ogen waren op hem gericht. Steppo sloeg zijn boek dicht, stond op en ging.

Jan Åke Stål, de vissende politieagent, zat op de zwarte bank met naast hem een politieman in uniform. De rector stond tegen zijn bureau geleund.

'Ga zitten, dan kunnen we even praten.'

De rector wees op de leunstoel. Steppo ging zitten en staarde naar de fruitschaal op tafel. Hij stak zijn voelsprieten uit, probeerde te voelen waar het om ging. Ving alle vibraties in de kamer op om een strategie te bepalen. Maar het enige wat hij kreeg was spanningshoofdpijn.

Jan Åke Stål nam het schilderij achter de rector op. Het meisje in de rode rok en met haar blote bovenlijf. Ze wandelde tussen vlinders en weidebloemen. De rector draaide zich om en keek ook naar het schilderij.

'Het is een Birger Ljungquist.'

'Maar toch geen origineel, hè?'

'Jawel, misschien niet erg slim om die hier te hangen, maar het vrolijkt de boel op.'

'Hoop dat je hem verzekerd hebt,' zei Jan Åke Stål. 'Wat is die waard?'

'Vijftigduizend, misschien het dubbele. Ik weet het eigenlijk niet. En dat van die verzekering moet ik even nakijken. Volgens mij is hij niet verzekerd. Die van de school zal waarschijnlijk niet dekkend zijn.'

'Hebben jullie geen problemen met dingen die verdwijnen?'

'Jawel, er zijn wel wat zwarte schapen tussen de leerlingen, maar die hebben van zoiets geen verstand.'

Steppo voelde een mengeling van verbazing en angst. Waar ging het over, een of ander klereschilderij? Waarom was hij hier? Ging het om de autodiefstal? Misschien moest hij maar direct bekennen, dan was het tenminste voorbij. Hij dacht aan zijn moeder, deed zijn mond open en hoorde zichzelf zeggen:

'Ik heb het niet gedaan.'

De rector en de politieagenten keken hem aan, en de rector zei:

'Jij hebt wat niet gedaan? Hier op school gestolen? Nee, dat was ook niet in ons opgekomen. We willen even over Håkan praten, jullie waren immers vrienden.'

'Is hij dood? Hebben jullie hem gevonden?'

'Sorry, ik bedoel, jullie zíjn vrienden.'

'We hebben hem nog niet gevonden,' zei Jan Åke Stål, 'maar misschien kun jij ons helpen.'

'Hoe dan?'

'Tja, je kunt zeggen wat jij ervan denkt. Hij is niet thuisgekomen na dat feest, en jij was daar toch ook?'

'Ik weet van niets,' zei Steppo. 'Ik ben vóór Håkan vertrokken.'

'Was hij erg dronken?'

'Gaat wel.'

'Heeft hij iets gezegd of zo? Iets ongewoons? Iets wat opvallend was, of hoe zal ik het zeggen? Was hij wel zichzelf?'

'Hij had veel geld. Verder was alles als anders.'

'Hoeveel?'

'Hij liet een stuk of wat duizendjes zien.'

'Waar had hij dat vandaan?'

'Geen idee.'

'Had hij bonje met iemand, of met meer mensen? Was er iets bijzonders gebeurd?'

Steppo voelde hoe zijn rug en kont nat werden van het zweet. Als hij iets losliet, was hij er zelf bij. Wat er met hemzelf gebeurde deed er niet toe, maar voor zijn moeder zou het de nekslag betekenen. Wat zou ze zich in haar hoofd halen? Wát maakte niet uit, eigenlijk. Ze woonden op de dertiende verdieping, naar beneden was een pokkenend.

'Nee, er is niets speciaals gebeurd. Ik weet van niets.'

'Was hij van plan om ergens naartoe te gaan? Ervandoor te gaan, weg te lopen?'

'Nee, maar hij moest wel iets regelen, maar dat zei hij steeds.'

'Wat had hij voor plannen?' zei Jan Åke Stål. 'Ik bedoel in grote lijnen, zeg maar. Je weet wel, voor het leven en alles. Dromen.'

'Hij wilde beroepsmilitair worden. Topmilitair, soort van. Hij zat in de jeugdafdeling van de Bescherming Burgerbevolking.'

'Ja, dat weet ik,' zei Jan Åke Stål.

De politieagent in uniform reikte naar voren en pakte een peer uit de schaal. Ontdekte toen dat het een siervrucht was en legde hem terug.

'Weet je welke kast Håkan had?'

'Hád?'

'Heeft, oké. Weet je welke kast Håkan heeft? Ik zou er graag een kijkje in nemen.'

'Ja, dat weet ik. Naast de mijne. Maar mag ik één ding vragen?'

'Ja, wat je maar wilt.'

'Wat denk je er zelf van?'

'Tja, ik kan er niet zoveel over zeggen.'

Steppo werd kwaad, hij stond op.

'Maar íéts toch wel! Is hij dood, leeft hij of wat, verdomme?'

'Oké, dit kan ik je wel zeggen: we dreggen in de Brunnsbaai. We trekken de grote rederijen na, de boten naar Finland. Luchtvaartmaatschappijen, vrienden, bekenden en onbekenden, alles. Tot op heden tasten we volledig in het duister.'

Jan Åke Stål keek hem aan. Hield zijn blik lang op hem gevestigd en zei toen:

'Dus je wilt verder niets vertellen?'

'Nee.'

'Het zij zo. Dan gaan we een kijkje nemen in Håkans kast.'

De Cipier kwam met een boormachine en Steppo wees de kast aan. De Cipier boorde de slotcilinder uit. Jan Åke Stål haalde de kast helemaal leeg. Er lagen boeken, gymkleren, schrijfblokken en pennen. Niets wat daar niet thuishoorde. De Cipier zag er teleurgesteld uit. Håkan had kennelijk nog weten op te ruimen voor hij verdween, bedacht Steppo. Hij had toch een bajonet, pornoblaadjes en een hoop rotzooi in zijn kast? Dit leek wel de kast van een voorbeeldige leerling op een privéschool.

'Nee, hier is niets te vinden,' zei Jan Åke Stål en hij legde alles weer terug.

De Cipier zette een nieuwe tong in het deurslot.

Er was iets wat Steppo niet te binnen wilde schieten. Er schoot hem alleen te binnen dat het hem niet te binnen schoot. Een vaag gesuis door zijn hoofd – toen was het weg.

'Als er iets is, kom dan naar het bureau,' zei Jan Åke Stål. 'Je weet me te vinden. Je mag ook komen als er niets is, dan kunnen we het over vissen hebben.'

Steppo knikte.

'Doei!'

Ze gingen weg. Steppo bleef nog even in de gang staan. Wat was dat nou, verdomme, wat hem maar niet te binnen schoot?

Na Engels was het lunchpauze. Spaghetti met gehaktsaus, een van de weinige schoolgerechten die te eten waren. Maar de spaghetti was altijd helemaal kapot gekookt, je kon net zo goed je tanden in de lucht zetten, zo slap was die. De rij in de kantine was lang en wanordelijk. Sommige klasgenoten drongen voor en verderop stonden ze te duwen. Plotseling stond Steppo pal achter Eva. Dick en Dembo drongen van achteren op.

'Loop er eens langs, joh.'

'Waarom?' zei Steppo.

'Doe niet zo sloom. Omdat we dat altijd doen.'

Eva stapte opzij om Steppo en de anderen voorbij te laten. Maar Steppo schoof haar voor zich de rij in.

'Shit man, wat doe je nu?' zei Dick.

'Ze staat vóór mij, oké?'

'Dan is het dus waar,' zei Dick.

'Wat bedoel je?'

'Al het geklets over jou en de Pisamoebe.'

Steppo draaide zich om en staarde Dick aan. Hij zag een

roodharige snuiter in een kunststof jack. Een vriend van jongs af aan. Een vriend met wie hij veel lol had gehad. Een vriend wiens smoel hij nu zou kunnen verbouwen.

'Niets is waar. Wat loop je nou uit je nek te kletsen, man!'

'Ra ra!'

Steppo kwam alleen te zitten. Dick ging bij Jocke zitten en Dembo zat bij de Koerd-neven aan tafel. Steppo keek om zich heen, verbaasd, verward. Hij lag eruit. Hij kon bijna geen hap door zijn keel krijgen. Op zijn bord kronkelde de te lang ge- kookte spaghetti als vettige, weke wormen.

Had hij nu de grootste blunder van zijn leven gemaakt?

22

Het sneeuwde. Hard. Zware, natte sneeuw vlijde zich als een dun vliesje van kleffe, waterige pap op de grond. Steppo hield de stapel reclamefolders onder zijn jack zodat ze niet nat werden. Hij was op weg naar de Charlottenburgerweg. De villa's lagen op keurige percelen en hij stopte in alle brievenbussen folders. Hij kwam bij een bruin huis, nummer 14, en keek door het hek naar het huis en de deur. Zou hij durven? Hij deed het hek open, liep over het pad het trapje op en belde aan. Zijn hart ging tekeer, het klopte in zijn keel, hij werd licht in zijn hoofd. Hij kon nu nog gaan, wegrennen.

De deur werd geopend door een donkerharige vrouw die zei:

'Hallo. En, wat kom jij doen?'

Steppo probeerde te bedenken wat hij kwam doen. Hij wist het niet, hij had er in elk geval geen woorden voor. Hij reikte haar een folder aan.

'Alsjeblieft. Pizza's bij Charlie.' Toen draaide hij zich om en liep het pad af naar het hek.

'Hé,' riep de vrouw. 'Ik ken jou. Jij zit in Eva's klas, hè?'

'Nee.'

Het sneeuwdek was maar één of twee centimeter dik, maar de kleintjes waren al aan het sleeën. Ze lachten, joelden en hadden lol in hun kletsnatte kleren. Voor Steppo's gevoel was het duizend jaar geleden dat hijzelf gelukkig was geweest over de eerste sneeuw, de sneeuw die alle kinderen naar de kelder deed stormen om hun gebarsten sleetjes op te halen. Duizend jaar, minstens. Nog even, en dan ging de sneeuw over in regen en zou alles wegstromen. Wegstromen in de waterputten.

Hij werkte zich door de huizen van Hagalund. Het ging traag. De lift naar de dertiende. Eén folder in elke brievenbus en dan naar de wenteltrap. Zijn been deed pijn en het duurde lang voor hij de noordkant klaar had. Nog één flat en dan was het mooi geweest. Hij liep naar het zuidelijk deel van de wijk over de Hagalundstraat. De sneeuw was overgegaan in regen, inderdaad. Zijn jack was nat en zwaar. Alles was zo ontzettend triest en zinloos. Kon het nog erger worden? Er bekroop hem een verlangen naar iets anders. Tienduizend kilometer hiervandaan. Stel je voor dat je in de bus, lijn 509, kon stappen, en zeggen:

'Graag tienduizend kilometer hiervandaan.'

De chauffeur kijkt op, een vrouw met een vriendelijke glimlach en stralende, heldergroene ogen, en ze zegt:

'Zeker, tienduizend kilometer hiervandaan.'

En de deuren gaan dicht, en ze is naakt en heeft flinterdunne, lichtgevende vleugels op haar rug. Lijn 509 rijdt weg met een engel als chauffeur.

'Tienduizend kilometer hiervandaan.'

Steppo merkte dat een auto vlak achter hem stapvoets reed. Een rode, roestige Volvo. De regen stroomde over de ruiten, je kon niet naar binnen kijken. Steppo versnelde zijn pas en de auto volgde zijn tempo. Het was onbehaaglijk. Hij stond stil en de auto stond stil. Hij liep verder over de stoep en de auto gleed zachtjes door. Steppo fixeerde zijn blik op een punt ver weg. Hij hoorde hoe de wielen plakkerig door de sneeuwdrab rolden. De ruitenwissers piepten. Zou hij wegrennen? Zich tussen de huizen verstoppen?

De motor ronkte even, de auto reed met een bochtje om

hem heen en blokkeerde het trottoir. Tony C. Backman stapte uit en keek hem over het autodak aan.

'Hé, liefdesdichter, stap maar in.'

Steppo stond in de regen en aarzelde. Angst voelde hij niet, wel een duister, onbehaaglijk gevoel. Vroeg of laat moest dit gebeuren, dat kon gewoon niet anders. Hoe had hij hieraan kunnen ontsnappen? Je kon nooit aan iets ontsnappen, je werd door alles ingehaald. Het was alleen de vraag wanneer.

Wanneer was nu.

'Stap in.'

Het was warm in de auto, de ruiten waren beslagen. Uit de radio stroomde muziek. Tony zette het geluid zachter, reed achteruit de straat op en gaf toen gas.

'Met jou heb ik nog een appeltje te schillen.'

Steppo zei niets. Ze reden door Solna. Kwamen bij een industriegebied en reden een modderig terrein op tot bij een bakstenen gebouw met getraliede ramen. Het was een voormalige autowerkplaats. Steppo keek door het zijraam naar buiten.

Er stonden een container en een paar roestige olievaten in de modder. Wat verder weg stond een oude Saab zonder wielen, die was in de blubber weggezakt.

Tony stapte uit en opende een stevig hangslot aan een beslag dat over de hele breedte van de grote houten deuren liep. Steppo was nog steeds niet bang, dat verbaasde hem, hij zou wel bang moeten zijn. Nu kon hij 'm nog smeren. Maar hij bleef zitten. Waar moest hij naartoe? De ruitenwissers zwiepten over de ruit. Was Håkan hier ook geweest? Hij werd helemaal koud. Tony opende de deur, kwam terug en reed de auto naar binnen. Het was aardedonker.

Nu werd hij bang.

'We zijn er.' Tony zette de motor uit, stapte uit en deed de deuren dicht.

Het was een garage of een magazijn of een hol. Steppo stapte ook uit de auto. Tony draaide een schakelaar om en de tl-buizen knipperden met een brommend geluid aan. Het eerste wat Steppo zag was een zwarte Coupe de Ville, total loss. 'Dat was een prima auto,' zei Tony. 'De beste die ik ooit heb gehad. Stijl, formaat én klasse. Maar moet je hem nu zien, hè? Weet je wat zo'n auto in goede staat kost?' Steppo schudde zijn hoofd. Tony ging met zijn armen over elkaar geslagen tegen de Cadillac staan. 'Hij was niet verzekerd. Ik ben niet zo'n type dat al zijn spullen verzekert. Hij was ook niet getaxeerd of gekeurd. Zoiets interesseert me allemaal niet.'

Tony liep naar een koelkast waar vettige handafdrukken op zaten. Deed de deur open en haalde er twee blikjes bier uit. Gooide er een naar Steppo die een vangbal maakte. Hij probeerde de onverschillige jongen uit te hangen, opende zijn biertje, nam een slok en keek op zijn gemak rond. Langs de wanden hingen planken van de vloer tot aan het plafond, daarop lagen autostereo's, tv-toestellen, video's en sloffen sigaretten, een indrukwekkende hoeveelheid. Langs de dwarswand stonden hoge stapels autobanden en aluminiumvelgen. Vóór de banden stonden twee dikke motoren, half afgedekt met een zeil. Tony volgde belangstellend zijn reactie. Maakte zijn biertje open, nam een slok en zei:

'Zoals je ziet doe ik zaken. Koop goedkoop spul in, verkoop het ietsjes duurder. Heb je iets nodig? Ik kan alles versieren. De Turk heeft zijn pizzaoven ook bij mij gekocht. En als iemand een schuld heeft kan ik ingeschakeld worden om die te incasseren. Tot nog toe heb ik geen van mijn klanten hoeven teleurstellen. Tenminste, niet degenen die kunnen betalen.'

Tony wierp Steppo een vluchtige grijns toe.

'Maar ík was niet degene die reed.'

'Weet ik, zijn naam was Håkan.'

Steppo voelde hoe zijn gezicht onwillekeurig vertrok, hij probeerde kalm en beheerst te blijven. Maar hij was de spiertrekkingen niet de baas. Er denderde maar één gedachte door zijn hoofd.

'Wat heb je met Håkan gedaan?'

'Geen paniek, we gaan eerst eens orde op zaken stellen, jij en ik.'

Tony opende de achterklep van de rode, roestige Volvo, haalde een koevoet tevoorschijn en draaide die rond in zijn hand. Met een paar grote stappen stond hij voor Steppo.

'Nee,' schreeuwde Steppo. Hij liet zijn bierblikje vallen en deed een stap achteruit, zijn handen afwerend voor zich.

'Je hoeft niet bang te zijn, ik ga je niet slaan. Dat is geen goed idee.'

Steppo keek om, zocht een vluchtweg. Maar om bij de deur te komen, moest hij langs Tony. Het was afgelopen, uit.

Tony kwam heel dichtbij.

'Geweld kun je zien als een motor en een drijfveer, maar het is geen oplossing. Tja, en dan heb je natuurlijk geweld voor je plezier, maar daar moet je zuinig mee zijn. Dat geldt ook voor neuken. Te veel en te vaak bederft de pret.'

Tony reikte Steppo de koevoet aan.

'Pak aan.'

'Waarom?'

'Die zal je nog van pas komen.'

'Nee.'

Steppo stopte zijn handen in zijn zakken.

Zwijgend stonden ze elkaar aan te kijken. De regen kletterde op het plaatijzeren dak.

Tony gooide de koevoet met een losse worp over. Steppo wist niet hoe gauw hij zijn handen uit zijn zakken moest halen om het ding te vangen. Hij bleef staan, overrompeld, verbaasd en in de war, met de koevoet in zijn armen.

'Je mag voor me gaan klussen,' zei Tony. 'Om te beginnen kun je oefenen op kelderboxen. Dan een kiosk, sigaretten zijn prima. De wereld barst van de spullen. Stereo's, cd's, kleren. Maar de kleren moeten wel nieuw zijn. Met inzamelingsvodden hoef je niet aan te komen zetten.'

'Ja, maar...'

Steppo liet de koevoet los, die stuiterde op de betonnen vloer, kletterde rond en bleef toen liggen.

Tony C. Backmans gezicht verstarde. Steppo voelde hoe de tranen in de buizen bij zijn ogen omhoog werden gepompt, en over zijn wangen rolden. Hij kon ze niet tegenhouden. Hij deed zijn best, maar zijn ogen liepen gewoon over. De regen kletterde op het plaatijzeren dak. Tony keek hem aan, even uitdrukkingsloos als een lijk, en begon toen plotseling te lachen. Maar stopte abrupt. Het was geen echte lach, het was iets anders.

Hoon.

Tony raapte de koevoet op en liet die door zijn hand rollen, keek ernaar en zei kalm:

'Het gaat niet alleen om die auto. Je hebt me behoorlijk in de penarie gebracht.'

Hij deed een stap naar voren en liet de koevoet zacht tegen Steppo's knieschijf tikken. Klopte lichtjes.

'Doe je dit met kracht, dan hoor je een vreselijk geluid. En het duurt een hele poos voor mensen gaan gillen. Eerst zijn ze met stomheid geslagen, krijgen niet genoeg lucht. Zelf hoor ik het gegil nooit. Ik zorg dat ik weg ben wanneer de pijn op hetzelfde niveau is gekomen als de hoeveelheid lucht waarmee een mens zijn longen kan vullen. Maar het geluid wanneer ik de knie tref, hoor ik wel, en dat is niet aangenaam, dat kan ik je wél vertellen.'

Tony legde de koevoet over zijn schouder, liep naar een plank en pakte een grote, lege hockeytas. Hij liet de koevoet erin vallen, liep terug met de tas en reikte die Steppo aan.

'Knieschijven zijn bijzonder moeilijk in elkaar te zetten. Je moet eerst een röntgenfoto maken van de andere knie die nog intact is, om te zien hoe de kapotte stukjes aan elkaar gezet moeten worden, maar dan in spiegelbeeld natuurlijk. Schroeven en bouten. Helemaal goed komt het nooit meer.'

Steppo werd misselijk en zijn balzak trok samen.

'Begrijp je wat ik bedoel?'

'Ja.'

'Oké, dan kun je gaan.'

Tony deed de deur open. Steppo pakte de sporttas. Hij wilde zo snel mogelijk weg, maar gleed uit en viel buiten in de modder. Hij stond weer op en wreef zijn besmeurde handen af aan zijn broek, liep door – totaal de kluts kwijt. Het regende nog steeds.

Tony riep hem na:

'Je weet waar je me kunt vinden, en je hoeft niet met volkstuintjesprullen aan te komen. Échte spullen wil ik hebben. Geen sierkameeltjes uit Tunesië en zo.'

De bus gleed voor de bushalte. Steppo stapte in, doorweekt en bevroren. De chauffeur was een chagrijnige dikzak. Steppo ging helemaal achterin zitten. De regen stroomde langs de beslagen ruiten. De bus zocht kreunend en schokkend zijn weg door Solna. Steppo wreef de beslagen ruit schoon. Wat had Tony verdomme met Håkan gedaan? En wat zou er met hemzelf gebeuren? Hij legde zijn voorhoofd tegen het raam.

Tienduizend kilometer hiervandaan.

23

Håkan was nu twee weken weg. Hij had in de avondkranten gestaan, met foto en al. Ze schreven dat hij een belangrijke schakel was in een goed georganiseerd nazinetwerk, en dat de politie een misdrijf niet uitsloot. Het was onwerkelijk, erg onwerkelijk. Niets wat in de krant stond klopte, behalve dat hij was verdwenen.

Steppo en Dembo zaten bij Charlies. Het was middag. Er was niemand anders, alleen de Koerd-neven stonden te flipperen. Dick zat vastgeklit aan Jocke, Åsa B. ging met Fredrik en Helen bleef meestal thuis. Ze verfde haar haren niet langer zwart. Er gingen geruchten dat ze blootgesteld zou zijn aan de duivel. Zelf had ze niets gezegd. En Tahsin was verloofd.

'Hij moet dus nog in leven zijn,' zei Dembo.

'Hoezo?'

'Ze zouden hem gevonden hebben als hij dood was.'

'Hoezo?'

'Het is moeilijker om je als dode verstopt te houden dan als levende. Dan lig je namelijk daar waar je ligt. Als iemand je tenminste niet tot gehakt heeft gemalen en gevoerd aan...'

'Schei uit.'

'En dan zou hij ook zijn gaan stinken.'

'Stil, ik wil er niet over praten.'

'Oké, dan hebben we het ergens anders over,' zei Dembo. 'Hoe gaat het met Eva en jou?'

Hij lachte.

'Ach, dat stelt niets voor. Iedereen doet alleen zo gemeen.'

'Ze is toch ook goor en helemaal fout,' zei Dembo. 'Ik snap niet dat jij je zo druk maakt.'

'Ja, maar...'

Hij wilde zeggen dat ze eigenlijk oké was, in alle opzichten, en mooi, ook al zag je dat niet meteen. Je moest op een speciale manier kijken. Maar hij zei:

'Ja, goor ja.'

Dembo stond op.

'Ik moet ervandoor, naar de training.'

Dembo pakte zijn grote sporttas en liep naar de deur. Steppo keek naar de tas en moest aan de zijne denken. Die had hij zo ver mogelijk in de kleerkast verstopt. Geprobeerd hem ergens ver weg in zijn hersens te duwen, geprobeerd hem helemaal te verdringen. Maar dat ging niet. Steppo pakte een krant van een andere tafel. Het was het *Avondblad*.

Hij bladerde en stuitte op een artikel over Solna en de Seksduivel. Er stond een foto bij van Hagalund en de plekken waar hij had toegeslagen, een luchtfoto met rode kruisjes erop. Er stond dat er een verdachte was die de politie elk moment zou kunnen oppakken. De journalist zei dat hij bij de politie zo zijn bronnen had. De krant was de verdachte zelf ook op het spoor en ze hadden een foto waarop hij onherkenbaar was gemaakt. Een idioot portret, het hele hoofd zat onder een laag zwarte inkt. De verdachte was in Solna een bekende omdat hij zich graag op schoolpleinen ophield om naar de meisjes te kijken. Hij was zelfs ín een kinderdagverblijf geweest en had daar kinderen aangeraakt en pornoblaadjes laten zien. De krant was ook in het verleden gaan graven: vier jaar geleden had de man zich in het Hagapark uitgekleed en was in zijn blote kont achter een schoolklas die een excursie maakte, aangerend.

De deur ging open en Steppo keek op. Gunnar kwam wankelend binnen en deed een paar flinke stappen zijwaarts. Hij bloedde uit zijn mond. De Koerd-neven staakten hun flipperspel, het balletje rolde uit. Gunnar zakte in elkaar.

'Verdomme,' schreeuwde Charlie, en hij vloog op hem af. 'Wie heeft dat gedaan?'

Gunnar gaf geen antwoord. Charlie wist hem op een stoel te hijsen, veegde zijn gezicht af met een handdoek en gaf hem een glas water. Buiten liepen Ronny, Timo en Kenny voorbij, ze keken door het raam naar binnen.

Steppo keek weer in de krant.

'Hier schrijven ze ook over Gunnar.'

Er stopte een politieauto voor de deur. Twee agenten stapten uit en kwamen het café binnen. Ze liepen naar Gunnar toe die zich aan de tafel vasthield.

'Dag Gunnar,' zei de ene agent. 'We hebben je gezocht.'

'Hebben ze je afgetuigd?' vroeg de andere.

'Je kunt beter met ons meegaan.'

'Hij is het niet,' zei Steppo. 'Gunnar is gewoon gestoord. Er is een bus tegen zijn kop geknald. Shit...'

'Rustig maar, laat dit maar aan ons over.'

'Gunnar is aardig. Hij houdt van vogels en...'

'Kan wel zijn, maar nu moet hij even met ons mee.'

De agenten probeerden Gunnar ertoe te bewegen op te staan, maar dat lukte niet. Ze tilden hem van de stoel, maar Gunnar klampte zich vast aan de tafel. Ze moesten hem met zijn tweeën lostrekken. Gunnar viel op de vloer en begon om zich heen te schoppen en te slaan. Hij verzette zich hevig. De agenten deden hem met veel geworstel handboeien om, sleepten hem naar buiten en de auto in, en reden weg.

Op de grond lag een smoezelig pornoblaadje.

De Koerd-neven stopten nieuwe munten in de flipperkast en speelden verder.

In het politiebureau was het druk. Mensen moesten een paspoort hebben, aangifte doen van hun verloren portemonnees of sleutels en van wat autokraken. Steppo trok een nummertje en ging zitten wachten. Het duurde lang, de cijfers schoten met horten en stoten op tot hij ten slotte dan toch aan de beurt was. Er stond een kale, chagrijnige politieman achter de balie.

'Ik zou graag Jan Åke Stål spreken,' zei Steppo.

'Zo zo, en over welke kwestie dan?'

'Kwestie?'

'Ja, wat heb je mede te delen?'

'Iets over die Seksduivel.'

'Dat kun je mij rustig vertellen.'

'Nee, ik wil met hém praten.'

'Je kunt hier niet zomaar binnenkomen en zeggen dat je die of die moet spreken. Heb je iets te zeggen, dan kun je het mij vertellen.'

Stomme idioot, dacht Steppo, maar hij zei:

'Hij heeft gezegd dat ik met hem kan praten als er iets is.'

'Ja.' De agent leunde naar voren, over de balie. 'Maar je kunt ook met mij praten, dan geef ik het wel door.'

'Nee, ik praat alleen met hem.'

'Maar het geval wil dat hij momenteel druk is.'

Er verscheen een vrouwelijke agent achter de balie. Ze deed haar leren jack uit, hing het over een stoel en keek naar Steppo. Met haar had hij de eerste keer gepraat.

'Ik kan hem nu niet storen,' zei de kale agent.

'Maar het is belangrijk.'

'Wát is er dan zo belangrijk?'

En nu ontglipte het hem:

'Idioot.'

Steppo stond van zichzelf te kijken, hij had 'idioot' gezegd tegen een politieman, en de agent kreeg een knalrood hoofd, rood tot aan zijn kale kruin.

'Ben je helemaal gek? Erúít!'
De vrouwelijke agent bemoeide zich ermee.
'Wat is er aan de hand?'
'Ik wil met Jan Åke Stål praten,' zei Steppo.
'Ja, precies, jij bent hier eerder geweest. Ik herken je. Het ging om de Seksduivel.'
De kaalhoofdige begon te sputteren.
'Jan Åke Stål is bezig.'
De vrouwelijke agent lachte en wendde zich tot Steppo:
'Loop de gang in net als de vorige keer. Maar ga aan het eind linksaf. Daar is een metalen deur en een trap omlaag naar de garage. Je vindt hem daar.'
Steppo liep weg en hoorde het stuk chagrijn zeggen:
'Maar dat rotjoch noemde mij een idioot!'
'Nou en...?' zei de agente.

In de garage stonden twee politieauto's en een aanhanger. Hij hoorde het geluid van een schuurmachine, en achterin naast een vuilniscontainer was Jan Åke Stål bezig een polyester boot te repareren. Die stond op pallets en was behoorlijk groot. Stål ging zo op in zijn werk dat hij Steppo niet opmerkte. Hij droeg een veiligheidsbril en een overall en was druk aan het polijsten en schuren.
'Hoi,' zei Steppo.
Stål maakte een sprongetje en draaide zich om. Schoof de veiligheidsbril op zijn voorhoofd.
'Hé, hoi. Mooie boot, hè?'
'Ja.'
'Ik heb hem voor een prikje op de kop getikt. De vorige eigenaar was hem van de winter vergeten af te dekken. Hij kwam vol water te staan en is kapotgevroren.'
Jan Åke Stål liep om de boot heen en praatte al wijzend verder.

'Hier langs de bodem loopt een lange scheur die moet worden gecoat. Waarschijnlijk moet de hele binnenromp eruit gezaagd worden.'

'Ah, ja,' zei Steppo.

'Het is eigenlijk bijna alsof je een nieuwe boot bouwt.'

'Ik heb ook een boot gebouwd. Met mijn vader.'

'Was die groot?'

'Nee, klein. Veel kleiner dan deze.'

Jan Åke Stål legde zijn schuurmachine weg en keek naar zijn handen.

'Verdomme, wat jeukt dat plastic. Die pasta is geen lolletje.'

'Onze boot was van hout en constant lek.'

Jan Åke Stål wurmde zich uit de overall en keek Steppo aan.

'Waarom ben je hier? Toch niet om naar de boot te kijken?'

'Hij is het niet,' zei Steppo.

'Wie niet?'

Er ging een metalen deur open. Twee politieagenten zeiden Stål gedag. Stål groette terug. De agenten stapten in een auto, zetten het zwaailicht en de sirenes aan. Het geloei dreunde door de hele garage. Toen gaven ze gas en scheurden de garagedeur uit.

'Gunnar is de duivel niet.'

'Nee, nee, nee,' zei Stål en hij stopte zijn gereedschap en machines in een plastic kratje. 'Gunnar is het niet. Maar we hebben hem naar een gesloten afdeling van Beckis gebracht.'

'Beckis?'

'Het Beckomberga ziekenhuis. Voor zijn eigen bestwil. Loopt hij vrij rond, dan wordt hij binnenkort afgemaakt. De kranten schrijven klinkklare nonsens over onze duivel in Solna. Hij mag er weer uit als dit is opgelost.'

'Oh,' zei Steppo. 'Ik dacht dat jullie dachten...'

'Moet je zien, hier zit nog een barst.' Stål liet zijn vinger over de spiegel van de achtersteven glijden. 'Die had ik nog niet gezien. Al met al was de boot misschien toch niet zo goedkoop. Het wordt een heidens karwei, al dat polijsten en coaten. En je mag niet knoeien, er zijn mensen die maar wat kliederen zonder grondig te polijsten. Dan valt de nieuwe laag er na een paar jaar als een koekje weer vanaf.'

'Aha,' zei Steppo.

'Verder alles goed?'

'Oké ja. Nog nieuws over Håkan?'

'Nee, we doen wat we kunnen.'

'Het voelt zo onwerkelijk.'

'Snap ik. Is er verder niets?'

'Nee.'

'Zeker weten?' Stål rolde zijn overall op en legde hem boven op het gereedschap in het kratje.

Steppo aarzelde. Natuurlijk was er nog iets, nog veel meer.

'Die botsing,' wist hij eruit te persen.

'Welke botsing?' zei Stål, die om de boot heen liep en zijn blik er niet vanaf kon houden. 'In deze stad rijden mensen elkaar om de haverklap aan. Ze rijden als randdebielen. En ik zeg altijd dat als de helft van alle automobilisten in de stad zich één kwartier aan de voorrang-van-rechtsregel hield, de andere helft in datzelfde kwartier tegen ze aan zou knallen. De hele stad zou één groot verkeersongeluk zijn.'

'Ik bedoel de botsing op de kruising van de Frösundabaan, Solnaweg.'

'Ah, die gestolen auto, een Amerikaanse slee. Dat was een klereklap zeg! De dader reed gewoon...'

Stål zweeg, hij begreep dat hij te veel aan het woord was, daar had hij een handje van. Hij keek Steppo vragend aan, en Steppo keek naar de betonnen vloer, steunde afwisselend op zijn linker- en rechtervoet.

'Onze natuurkundeleraar is gewond geraakt. We hebben nu een vervanger.'

'Juist ja. De eigenaar van die auto is een smerige gangster. Maar hij zat kennelijk niet achter het stuur. De auto was namelijk gestolen. We gaan hem evengoed gevangenzetten, hij heeft al een hoop uitgevreten. Maar op dit moment hebben we onze handen vol aan de Seksduivel en een paar opgeblazen geldautomaten.'

'En de boot,' zei Steppo.

Stål lachte.

'Ik kan juist goed denken als ik daarmee bezig ben. Beter dan bij die idioten daarboven.'

Steppo slenterde rond in Solna Centrum. Kocht een hotdog bij Hotdog-Ingvar. In zijn kop was het een wirwar van gedachten, ze raakten de weg kwijt in labyrinten die stuk voor stuk naar de afgrond leidden. Hij werd duizelig en stak de Oosterweg over zonder uit te kijken.

De banden gierden over het asfalt en de auto stopte vlak achter hem, zo dichtbij dat Steppo zijn hand op de motorkap kon leggen. Een rode, roestige Volvo. Tony C. Backman stapte uit en hing een beetje loom tegen de autodeur.

'Ik had je kunnen aanrijden. Als ik gewild had.'

Steppo draaide zijn hoofd niet om. Keek hem niet aan. Stond daar midden op straat, stijf. De rillingen liepen hem over de rug. Hij had wel dood kunnen zijn.

'Gebruik de volgende keer het zebrapad, wil je? Liefst bij groen licht. Ík rijd namelijk nooit door rood, dat is niet nodig.'

'Sorry,' zei Steppo en hij voelde zich een enorme stuntel.

Hij vocht tegen zijn tranen. Hij vocht tegen de angst. Hij vocht tegen...

'Je mag wel eens aan het werk gaan. Je krijgt tot morgen de tijd.'

24

Het was halfelf. Zijn moeder was in slaap gevallen. Steppo graaide achter in zijn kleerkast en haalde de hockeytas tevoorschijn. Legde een zaklamp en een paar schroevendraaiers naast de koevoet.

Het was een winderige avond en het zou een winderige nacht worden. Hevige windvlagen rukten en trokken aan de straatlantaarns. De lichtkegels zwiepten heen en weer in het asfalt. Steppo liep over de Dalweg. Er was geen mens op straat. Alleen een taxi die voorbij stoof en de bus die zich grommend omhoogwerkte, de Frösundabaan op. Steppo sneed de weg af en liep achter de Vasalundschool langs naar de Backweg.

Hij koos een flat uit. De voordeur was met een dunne schroevendraaier makkelijk open te krijgen. De tong van het deurslot gleed met een klik naar binnen. Hij liep naar de kelder, knipte zijn zaklamp aan. De verlichting aan het plafond liet hij uit. Als er iemand naar beneden kwam, zou hij het direct merken aan de aanknipperende lampen. De kelderboxen lagen aan een lange gang. Alle deuren waren genummerd en elk nummer hoorde bij een appartement.

Steppo zette de koevoet in de beugel van een slot en stokte in zijn beweging, dacht na over wat hij het volgende moment ging doen. Welke keuze had hij? Geen. Hij kon moeilijk naar Jan Åke Stål gaan en hem vertellen hoe het zat, wat hij had gedaan. De laatste stop zou bij zijn moeder doorslaan, en ze woonden zo verdomd hoog. Dit moest hij helemaal alleen opknappen, niemand kon hem helpen.

Steppo wrikte de koevoet een slag rond. Trok zo hard hij kon. Het slot begaf het met een knal, vloog weg en stuiterde over de vloer. Hij deed de deur open en scheen rond met zijn zaklamp. Hij probeerde zichzelf wijs te maken dat het niet zo erg was wat hij deed. Mensen stopten in een kelder alleen maar spullen waaraan ze niet zo gehecht waren, spullen die ze eigenlijk niet wilden hebben of nodig hadden. Het was hun eigen schuld.

Het schijnsel van de zaklamp viel op een doos vol glazen potten, die boven op een stapel oude autobanden stond. Veel meer was er niet. Helemaal achterin stonden een kapot sleetje en een paar versleten wandelschoenen. En wat dozen met kerstversiering. Hij sneed een zak open, maar daar zaten alleen maar oude kleren in.

De volgende box leek erg veel op de eerste. Kleren, een kapot sleetje, het enige verschil was dat hier een paar laarzen in plaats van wandelschoenen stonden en er boven op de autobanden een hobbelpaard troonde. Niets van waarde wat hij kon meenemen in de sporttas. Maar het hobbelpaard was mooi en vast oud en antiek.

De derde box had een stevig slot, dat was interessant. Dat moest betekenen dat iemand daar waardevolle spullen had opgeslagen. Hij was een hele tijd met het slot in de weer. Het bood weerstand. Maar het beslag van de deur begaf het. Toen hij naar binnen scheen zag hij autobanden, een paar rollen vloerbedekking en steelpannen. En wat dozen die er interessant uitzagen. Hij maakte ze open, maar er zat alleen porselein in.

De volgende deur had een slot van niks, Steppo hoefde niet eens kracht te zetten. In het schijnsel van de zaklamp glom een vergulde hangklok. Die belandde in de tas. In een kist vond hij kandelaars die van zilver leken. Misschien was het wel zilver. Hij zocht naar stempels, maar vond er geen. Misschien kon hij Tony wijsmaken dat het echt zilver was. Maar Tony maakte je niets wijs. Er hingen kleren op hangers aan een ronde roede aan het plafond. Oude jassen en mantels. Ze roken ook oud, en naar schimmel. Maar achteraan hing een mooi, warm leren jack. Hij paste het, helemaal oké. Hij hield het aan.

De volgende box was leeg. Waarom had die dan op slot gezeten? Het duurde niet lang of de hele rij kelderdeuren stond open. De sloten lagen op de grond. Hij scheen over de grond en telde ze, elf stuks. Eén box had hij niet open kunnen krijgen. Dozen en zakken waren opengescheurd en de sporttas was in een mum van tijd vol. Met vooral prullaria, niet echt iets goeds. Of het moest die gouden klok zijn. Hij doorzocht de laatste box grondig, moest niezen van het stof. Dit leek wel op zo'n suffe archeologische opgraving in bedompte grafkamers. Maar toen klaarde hij op, hij vond twee camera's, exact dezelfde. Boxmodellen met dubbeloptiek. ROLLEIFLEX stond erop. Ze waren oud zoals alles daar, maar ze verdwenen in de sporttas.

Hij was om halfdrie weer thuis. Stouwde de volle sporttas in de kleerkast, ging met zijn kleren aan op bed liggen en kon de slaap niet in vatten. Beneden in de kelder had hij zich goed opgefokt en nu kon hij niet tot rust komen. Hij liep naar de keuken en nam twee aspirientjes en een glas melk. Liep terug naar zijn kamer. Keek naar de bommenwerpers aan het plafond. Haalde ze er allemaal van af en liep naar het balkon. Hij liet de vliegtuigen één voor één los. Ze dwarrelden stuurloos door het donker naar beneden.

25

Steppo was tijdens godsdienst in slaap gevallen en schrok op toen Gun hem wakker schudde. Hij keek op, totaal van de wereld. Hij was de enige leerling die nog in het lokaal was.

'Ben je ziek?'

'Nee, gewoon moe,' zei Steppo. 'Slecht geslapen vannacht.'

In het overblijflokaal ging hij bij Dick en Jocke zitten.

'Wat zie jij eruit,' zei Dick. 'Ben je ziek of zo?'

'Nee, gewoon moe.'

Jocke was een lijst aan het opstellen.

'Dat zijn de nummers,' zei Dick, 'en de volgorde waarin we ze spelen tijdens het optreden in het clubhuis van het stadion. Je mag ons wel helpen sjouwen en zo. Ben je meteen backstage.'

'Ja, mag dat? Tof!'

Dick grijnsde een beetje naar Steppo.

'Maar Eva hoef je niet mee te nemen.'

Jocke lachte. Steppo stond op en zei tegen Dick:

'Hoe gaat het eigenlijk met Åsa B.?'

'Pfff, ze praat niet meer met mij. Maar ze zeggen dat ze zwanger is, en ik weet niet wat er gaat gebeuren.'

'Jij wordt vader,' zei Jocke. 'Dát gaat er gebeuren.'

'Verdomme nee, ze moet maar een abortus laten doen. En ik heb trouwens geen bewijs gezien.'

'Doe de lakmoesproef,' zei Steppo en hij ging.

Eva stond buiten de kantine. Ze was niet in de rij gaan staan, maar leunde tegen een pilaar en wachtte. Steppo zag haar, ze rekte haar hals uit en hun blikken ontmoetten elkaar. Ze stapte vlak voor hem de rij in. Niemand zei iets, niemand drong voor. Eva mocht daar staan, en zonder zich om te draaien zei ze zacht:
'Kom je naar de vijver?'
'Ja.'

Ze zat al op de stenen bank en hij ging naast haar zitten, heel dichtbij. De droge eikenbladeren ritselden in de wind. Het wateroppervlak rimpelde. Eva keek hem aan.
'Je ziet er ziek uit, bleek en...'
'Ik ben gewoon moe.'
Plotseling pakte ze zijn hand. Steppo verzette zich niet. Hij keek in haar bruine, warme ogen. Hij wilde zijn armen om haar heen slaan, zijn armen om haar heen slaan en huilen. Maar hij slikte, bleef stilzitten en keek haar alleen in de ogen. Eigenlijk wilde hij haar alles vertellen, wat hij had gedaan, waar hij mee bezig was, dat hij geen uitweg zag, dat hij er het liefst bij wilde gaan liggen en doodgaan.
'Heb je nog iets over Håkan gehoord?' vroeg ze.
'Nee. Hij is gewoon weg. Klote!'
Twee eenden landden op het water. Ze rekten zich uit en klapperden met hun vleugels.
'Koude voeten moeten die hebben.'

De rode Volvo van Tony C. Backman stond op de moddervlakte voor de werkplaats geparkeerd. Achter de getraliede ramen brandde licht. Steppo voelde aan de deur, die was open. Hij zeulde de sporttas naar binnen en zag Jocke met Tony staan praten. Het was een verhit gesprek, en Steppo vroeg zich af wat hij hier verdomme te zoeken had. Jocke leek al even verbaasd en gaapte hem aan. Steppo zette de tas op de betonnen vloer. Tony knikte hem toe, pakte een bruine brok in zilverfolie en gaf die aan Jocke.

'Volgende keer moet je betalen.'

'Ja ja, rustig maar,' zei Jocke en zijn blik dwaalde weer naar Steppo.

'Weet je hoeveel je mij nu verschuldigd bent?'

'Zo ongeveer, maar ik regel het wel.'

'Dat hoop ik van harte, het gaat niet meer om kleingeld. En nu wegwezen.'

Jocke verdween en Tony deed de deur achter hem op slot. Steppo zakte op zijn hurken en opende de sporttas. Hij was merkwaardig vrolijk, en liet zien wat hij had. Voelde zich heel wat. Tony graaide door de spullen.

'Verdomme, dit is alleen maar troep. Ik sta niet op een vlooienmarkt. Je moet met beter spul komen, anders...'

'Anders wat? Maak je mij af, net als Håkan?'

'Hé, ik ben geen moordenaar. Hoe kun je dat nu denken? Ik ben zakenman.'

'Wat weet je over Håkan?'

'Niets méér dan dat die kleine nazi mijn auto in puin heeft gereden. Komt hij boven water, dan mag hij ook voor mij gaan werken. Eigenlijk zou ik jullie moeten verlinken, maar dat is minder lonend. Hoewel je deze zooi zo weer mag meenemen.'

'Maar de camera's dan, en de klok?'

Tony wroette nog eens in de tas, kwam overeind en wees.

'Oké, maak de tas daarachter maar leeg. We kunnen een paar honderd kronen afschrijven, maar je bent er nog lang niet.'

Steppo maakte de tas leeg en dacht: nu. Nu moest hij de koevoet met een flinke zwiep regelrecht tegen het achterhoofd van die klootzak kwakken. Slaan slaan slaan.

Hij pakte zijn tas en ging.

Steppo had het zwaar op school. Hij sliep te weinig en van huiswerk maken kwam niets meer terecht. Langs de hele Winterweg had hij elke box, zonder uitzondering, opengebroken. Zijn kleerkast stond vol spullen waar Tony nauwelijks blij mee zou zijn.

De klas had godsdienst en Steppo hing over zijn bank, hij was weer in slaap gevallen. Hij droomde hoe hij met de koevoet in zijn hand net een kelderbox had opengebroken. Daar stond een kist met goud, puur goud. Hij deed het deksel dicht en nam de kist mee naar Tony. Maar toen hij hem opendeed, lag Håkan erin. Die lag te rotten en de maden bubbelden uit het vlees.

Gun maakte hem wakker. De les was afgelopen.

'Slaap jij 's nachts niet?'

'Jawel,' zei Steppo gapend.

'Je moest maar eens naar de schoolverpleegster. Je hebt vast ijzergebrek of zoiets.'

'Nee hoor, er is niets mis met mij.'

Steppo legde zijn godsdienstboeken in zijn kast. Gun had gelijk, hij moest nodig weer naar de schoolverpleegster toe. De wond in zijn been zag er lelijk uit, stonk en wilde niet genezen. Een briefje op haar deur meldde dat ze aanstaande maandag weer terug was.

Bij maatschappijleer ging het nog steeds over misdaad en straf, en ze werkten verder met de voorbeelden Anders, Bosse en Claes. Nisse-Lasse nam hun vonnissen door. Anders werd het zwaarst gestraft, hij had dan ook de tas uit Sivs handen gerukt zodat ze viel en zo lelijk terechtkwam dat ze nog steeds in het ziekenhuis lag. De rechtbank vond het een zwaar misdrijf, en Anders had zich bovendien schuldig gemaakt aan herhaalde criminaliteit. Hij werd veroordeeld tot acht maanden gevangenisstraf. De langst mogelijke straf voor beroving was eigenlijk een jaar, maar omdat Anders pas achttien was, legde de rechtbank hem een lagere straf op. Bosse werd veroordeeld wegens medeplichtigheid aan de roof. Hij had de brommer bestuurd en meegedeeld in de buit. Maar hij was nog geen achttien en kon dus niet tot een gevangenisstraf worden veroordeeld. De rechtbank had de indruk gekregen dat Bosse zijn lesje wel geleerd had van het voorval. Hij werd onder maatschappelijk toezicht gesteld en kreeg een geldboete voor de brommerdiefstal en omdat hij onder invloed had gereden. Claes werd helemaal vrijgesproken omdat hij nog geen vijftien jaar was.

'Tja,' zei Nisse-Lasse, 'zo gaat dat dus. Moeten jullie zo nodig ergens voor gepakt worden, doe dat dan voor je vijftiende.'

De bel voor de lunchpauze ging.

Er waren leverblokjes in bruine saus. Steppo haatte lever, hij kon er wel van kotsen. In de onderbouw was dat ook een keer gebeurd, toen een leraar hem had gedwongen zijn bord leeg te eten. Hij had de hele tafel ondergekotst. Sindsdien had hij geen lever meer gegeten.

Hij nam een paar boterhammen en melk en ging op zijn gebruikelijke plaats zitten. Er kwam niemand bij hem zitten, maar dat gaf niet. Steppo strooide zout op zijn beleg en dacht aan Anders, Bosse en Claes. Moest hij gesnapt worden, dan beter nú, over drie maanden werd hij vijftien.

Eva kwam tegenover hem zitten. Steppo schrok en keek rond. Dembo grijnsde, evenals Dick die verderop bij Jocke aan tafel zat. Hij hoorde hoe Åsa B. en Helen begonnen te giechelen.

'Moet ik weggaan?' vroeg Eva.

'Nee,' zei Steppo.

Ze aten in stilte. Keken elkaar aan, en barstten plotseling allebei in lachen uit. Schaterden het uit. Iedereen in de kantine keek op en gaapte hen aan.

'Stomme idioten,' zei Åsa B.

Steppo ging met Eva mee naar de bibliotheek. Ze liet hem boeken zien die ze had gelezen en die hij volgens haar ook moest lezen. Het waren niet zomaar een páár boeken, ze kende alle planken en wist waar alles stond. Hij kon haar vragen wat hij maar wilde. Een boek over India, en ze toverde het direct tevoorschijn. Dit was háár wereld.

'Gevechtsvliegtuigen,' zei Steppo.

Eva liep linea recta naar de juiste plank en pakte twee boeken, één over oude bommenwerpers en één over de luchtgevechtseenheden van Zweden. De hele bibliotheek zat in haar hoofd.

'Dit moet je lezen,' zei ze. 'En dit.'

'Ik heb nog nooit een boek gelezen.'

'Dat meen je niet!'

'Alleen leerspul en techniek, geen boeken over... ja, zeg maar verzinsels.'

Steppo werd plotseling duizelig en moest gaan zitten.

'Wat is er?'

'Ik ben gewoon moe, slaap slecht.'

Ze gaf hem een kus, en hij kreeg een soort elektrische schok.

26

Steppo kreeg de smaak te pakken. Raakte op dreef. Hij vergat zichzelf tijdens het werk en dat was heel prettig. Hij werkte geconcentreerd. Nacht na nacht, box na box. Bewoog zich geroutineerd en trefzeker in het donker. Het leek wel een eindeloze adventskalender, en hij was op zoek naar luikje vierentwintig. Wat zat er achter de volgende deur? En de volgende? En de volgende? Ergens was de deur naar de schat die hem zou verlossen. Hij scheen met zijn zaklamp in de boxen en vulde de sporttas met spullen die naar zijn mening mooi en goed waren. Maar Tony moest er weinig van hebben.

'Kraak een kiosk, verdomme!' had hij uitgeroepen. 'Sigaretten of autocassettedecks. Of jat cd's bij Åhléns. Alles beter dan dit!'

Kwam hij nog één keer met een paar oude ijshockeyschaatsen aanzetten, dan ging hij eraan.

Steppo zette de koevoet op een nieuw slot en forceerde het, opende de deur en scheen rond. Lege flessen, de hele box stond vol lege flessen. Als hij dit zou kunnen inwisselen voor statiegeld, had hij een kapitaal. Er werd ergens met een deur geslagen en de tl-buizen aan het plafond knipperden aan. Steppo verstopte zich midden in de box. Hij hoorde stappen, toen werd het stil. De lampen gingen uit. Hij wachtte een tijdje, om er zeker van te zijn dat niemand het licht weer aandeed. De tl-lichten aan het plafond waren het best denkbare waarschuwingssysteem.

Toen het een hele poos donker en stil was gebleven, liep Steppo de lege-flessenbox uit en ging verder met zijn werk. Slot na slot, maar uitsluitend rommel. Hij werd woest op de mensen die de flat bewoonden. Ze konden toch wel wat zinnige spullen daar opslaan? Plotseling kreeg hij een helder inzicht: dit was allemaal zinloos. Hoe zou hij hierbeneden ook maar iets kunnen vinden waarmee hij zijn schuld kon afbetalen? Hoeveel boxen had hij al opengebroken? Honderd? Of meer? Hij hoopte op dé grote vondst, maar er lag alleen maar troep. Zou hij een kiosk aankunnen? Of bij de Seven Eleven inbreken? Hij maakte een boxdeur open en scheen zoekend rond met zijn zaklamp. Een leunstoel, kleren, twee oude fietsen. Alweer zo'n stoffig faraograf. Hij maaide tussen dozen en zakken, maar vond niets interessants. In de leunstoel stond een doos met geraniums in winterrust. Steppo zette de geraniums op de vloer, deed de boxdeur dicht en ging in de leunstoel zitten.

Hij knipte de zaklamp uit. Zwarter kon het niet worden. Het maakte geen verschil of hij zijn ogen dichtdeed. Het was een comfortabele leunstoel, zacht. Hij lag half in de stoel en luisterde naar de geluiden uit het flatgebouw. Het bruiste in de afvoerpijpen, het suisde uit het ventilatiesysteem, het klikte en zoemde in een elektriciteitskast. Het gebouw leefde. Hierbeneden verzamelden alle buizen en leidingen zich als pompende aderen. En hierbeneden klopte het hart.

Steppo legde zijn hoofd achterover en dacht aan Eva. Ze was oké, maar hij kreeg geen grip op haar. Hoe zag ze er eigenlijk uit? Ze had altijd van die flodderige, zakkige kleren aan. Hoe zag ze er naakt uit? Hij deed zijn ogen dicht in het donker, kleedde haar uit en viel in slaap.

De meeuw lag bij zijn voeten, stralend wit, en de bloedvlek op zijn hals leek groter. Die breidde zich uit, hij zag het. De rode vlek verspreidde zich door het verenkleed. Steppo tilde het kopje op en keek naar de grotopening. Hij moest naar binnen. Deed een stap, stond stil en luisterde. De volgende stap was zwaarder, en na nog een stap kon hij zijn been nauwelijks meer optillen. Op een steenworp afstand van de grot was hij zo zwaar dat hij niet meer in staat was zich te bewegen. Hij was bang en verlamd, alsof hij tot aan zijn nek in de modder stond. Er was iets daarbinnen in het donker dat hem aankeek, hij voelde het. Hij probeerde zijn hand op te tillen en uit te strekken, maar die was te zwaar. Alles was zwart. Hij probeerde te roepen, maar er kwam geen geluid uit zijn keel. Hij kon niets doen, helemaal niets, alleen maar blijven staan.

Steppo werd wakker in de leunstoel, deed zijn ogen open en zag niets, het was pikdonker. Hij rook de kelderlucht en hoorde het bruisen in de afvoerpijpen. Hij was niet alleen, er was nog iemand, hij wist het zeker. Hij voelde een beweging in de lucht, een zwakke windvlaag. In de verte zag hij een rood, oplichtend puntje. De boxdeur was opengegaan, hoe kon hij anders de lichtknop zien? Iemand had de deur opengedaan. Een zwak geluid, en de rode knop verdween heel even uit het zicht. Er was iemand. Iemand bewoog zich in het donker.

De angst kroop in zijn lichaam. Hij moest hier weg, opstaan en moven.

Steppo kwam overeind en sloop naar de gang, deed zijn zaklamp niet aan. Behoedzame stappen met de koevoet in zijn hand, klaar voor de aanslag. Was er iemand vóór hem? Achter hem?

Wie was het, verdomme?

Hij zocht op de tast zijn weg langs de betonnen muur. Een groot stuk pleisterkalk liet los en spatte op de vloer uit elkaar. Steppo bleef staan, verstijfd in het donker. Hij hoorde het klikken van de elektriciteitskast, een zoemend geluid, toen knipperden de tl-buizen aan. Alles werd verblindend wit. Snelle stappen achter zijn rug. Hij draaide zich om. Zag een lange, donkere, fladderende jas en het gezicht van de duivel. Voordat Steppo de koevoet kon opheffen, werd hij hardhandig tegen de muur geduwd. Hij viel op de grond en zag de duivel door de keldergang wegrennen en door een deur verdwijnen. Steppo stond op, hoorde zware stappen van de andere kant. Twee politieagenten kwamen aanrennen.

'Stop! Politie!'

Maar Steppo zette het op een lopen. Rukte aan alle deuren waar hij langsliep. Op slot, op slot, op slot. De agenten zaten hem op de hielen.

'Sta stil, verdomme!'

Op slot, op slot, op slot. Open. Het was een fietsenhok vol fietsen en met een uitgang aan de andere kant. Hij smeet alle fietsen omver als versperring, en gooide zich tegen de deur. Draaide de knop om en kwam op een trap die naar de straat leidde. De regen viel met bakken uit de hemel. Steppo kwam niet ver, na een paar meter knalde er iemand van opzij tegen hem op en plotseling lag hij op het asfalt met een knie in zijn rug. Vier agenten stonden om hem heen en toen kwam er een politieauto aan. De zwaailichten veegden over de muren van de huizen, en flitsten in het natte asfalt.

'Maar, hij ís het niet,' zei er een.

'Nee, dit is een kleine klotedief. We hebben een koevoet gevonden en verschillende boxen waren opengebroken.'

Een politieman hurkte naast Steppo op de grond.

'Hoe heet je?'

Steppo gaf geen antwoord. Hij voelde hoe zijn kleren het regenwater van de straat opzogen. Hij kreeg het koud.

'Neem hem maar mee naar het bureau.'

Steppo staarde in het asfalt.

'Heb je hem gezien?'

Er kwam nog een politieauto, die reed met twee wielen de stoep op en stond stil.

'We hebben een speurhond nodig, hij kan niet ver weg zijn.'

De agent die op zijn hurken naast Steppo zat, tilde diens hoofd aan de haren op.

'Jochie, luister eens, je kunt maar beter antwoord geven. Je hebt dacht ik al problemen genoeg.'

Maar Steppo gaf geen antwoord. Ze trokken hem omhoog en sleepten hem naar de auto die op de stoep geparkeerd stond. Hij was door en door nat. Ze duwden hem op de achterbank.

Er zat een man zonder uniform op de passagiersstoel voorin. Hij draaide zich om en keek naar Steppo.

'Jij hier?'

Het was Jan Åke Stål, en hij zei:

'Wat doe jij hier nu, verdomme?'

De agent die hem aan zijn haar omhooggetrokken had hing in het portier, hield een koevoet omhoog en zei:

'Een kleine klotedief. We hebben een koevoet gevonden en een aantal opengebroken boxen. Maar hij moet hem gezien hebben. Deze keer scheelde het maar een haar of we hadden hem te pakken.'

'Ja, het is goed,' zei Jan Åke Stål. 'Je kunt gaan. Ik praat wel met deze knul.'

De politieman verdween, Stål boog zich over de bestuurdersstoel, trok de deur dicht en wendde zich tot Steppo:

'Waar ben jij verdomme mee bezig? Kelderboxen? Je weet toch dat mensen daar alleen maar oude troep stallen?'

'Ik heb niets gedaan,' zei Steppo.

'Luister, ik ben niet achterlijk. Ik ben politieman, oké, maar daarom ben ik nog niet per se achterlijk. En ik ben in een belabberde bui, dus ga nou niet dwarsliggen.'

'Maar ik...'

'Die kelderinbraken laten we even zitten, we zijn nu op jacht naar iets anders. Heb jij hem gezien?'

'Hij knalde tegen me op, duwde me tegen de muur en toen kwamen de agenten.'

'Heb je iets bijzonders gezien?'

'Nee, maar...'

'Ja, wat maar?'

Steppo aarzelde, keek naar zijn handpalmen. Die zaten vol schaafwonden van het asfalt.

'Ik geloof dat hij wist dat ik daar was.'

'Waarom?'

'Ik weet niet, gewoon een gevoel.'

'Hoe laat was je hier?'

'Rond elf uur, bijna exact.'

'We werden gebeld door een oud mens dat zei dat ze de dui-vel even na elven de kelder in zag gaan, dus het is goed mogelijk dat hij achter jou aan zat. Maar dan zou jij wel de eerste jongen zijn die hij probeerde lastig te vallen.'

'Wat gebeurt er nu verder?' vroeg Steppo. 'Mijn moeder gaat helemaal flip...'

'Je kunt gaan.' Jan Åke Stål stapte uit de auto.

Steppo stapte ook uit. Ze keken elkaar over de auto aan. Het blauwe licht flitste over hun gezichten.

'Kom naar het bureau, dan kunnen we even praten. Volgens mij heb jij problemen.'

'Mag hij gaan?' vroeg een agent. 'Maar hij was nota bene...'

'Hebben jullie het gezien?' vroeg Stål.

'Nee, maar het is toch zo klaar als een klontje?'

'Luister eens hier, mannetje,' zei Jan Åke Stål tegen de agent. 'Er is geen ene moer zo klaar als een klontje. En hoe is het in hemelsnaam mogelijk dat jullie hem hebben laten lo-pen? Stelletje amateurs!'

'We deden ons best,' zei de agent stuurs.

'Deden ons best,' schreeuwde Stål. 'Jullie zaten achter een jochie aan!'

'Maar hij...'

'Stil, geen woord meer. Wanneer komt dat verdomde hondenbusje nou eens?'

27

Het was donderdagochtend. Steppo voelde zich beroerd, was kletsnat van het zweet wakker geworden. Nu liepen er koude rillingen over zijn lijf. Hij ging op de wc zitten. De badkamer deinde heen en weer, hij voelde zich duizelig. Toen hij klaar was, opende hij de badkamerkast en nam twee pijnstillers van het sterke soort, die met de rode driehoek op de verpakking. Er stond een massa andere pillen in de kast die zeker tegen van alles zouden helpen, voor eventjes. Als je er voldoende van innam, was dat waarschijnlijk het laatste wat je deed.

Zijn moeder zat in de keuken en bladerde in de catalogus. Die was flink beduimeld. Het deed pijn haar zo te zien.

Steppo pakte melk en brood en stopte twee sneetjes in de broodrooster. Hij keek over de tafel naar zijn moeder. Ze bladerde vooruit en terug. Er was iets kapotgegaan, ze viel uit elkaar. Misschien was hij zelf ook wel stukgegaan.

'Op de foto ziet hij er beslist groter uit.' Ze wees naar de kristallen kroonluchter.

Steppo had geen puf meer om antwoord te geven.

'En het is niet eens dezelfde,' zei ze en ze legde de catalogus voor Steppo's neus.

'Zie je nou, hè, het is niet dezelfde. En wanneer komt het stukje dat ontbreekt?'

'Ik weet het niet, jouw lamp kan me geen bal schelen. Ik heb al genoeg problemen. Ik heb...'

Ze begon te huilen.

Steppo at zijn brood op, kleedde zich aan en ging naar school.

Hij kwam Dick tegen bij de kasten.
'Ha, alles goed?' zei Steppo.
Dick knikte, pakte zijn boeken en liep weg.
Het uur Engels was mistig. Een overhoring. Schriftelijk. Van welk huiswerk? Steppo begreep er niets van, hij had de grootste moeite om wakker te blijven. De leraar vroeg zich af wat hem scheelde.
'Je was vorig semester nog zo goed, en nu? Wat is er aan de hand?'
'Niets,' zei Steppo. 'Gewoon vergeten.'
Maar hij dacht bij zichzelf: waarom ga ik naar school?

Eva was al in de bibliotheek. Steppo bleef in de deuropening staan en keek naar haar. Ze zat in een boek te lezen en had hem niet in de gaten. Ze was veranderd, maar alleen voor hem. Hij zag niet langer een pisamoebe. Hij had iets groots gevonden, iets waarvoor hij de moed moest hebben het vast te houden. Had hij die?
Ze keek op van haar boek en glimlachte. Steppo ging tegenover haar zitten.
'Ik begin ziek te worden.'
'Je ziet er ziek uit,' zei Eva, 'ik heb het al eerder gezegd. Ga nou naar de verpleegster.'
'Ik bedoel in mijn kop. Het is kennelijk erfelijk.'
Eva moest lachen.
'Het is echt waar. Het is geen grap. Er gebeuren zulke vreemde dingen. De hele wereld is scheefgetrokken, anders en waanzinnig vreemd. Maar dat is niet echt gebeurd, alleen hier, vanbinnen.'
Steppo wees op zijn voorhoofd.

'Ik geloof niet dat ik besta, ik ben zo verdomd eenzaam. En ik doe mijn moeder verdriet. Ik doe iedereen verdriet.'

Eva strekte haar handen naar hem uit, pakte de zijne en hield ze stevig vast.

'Je bestaat, en je maakt mij blij. We kunnen samen eenzaam zijn. Of we kunnen iets leuks doen. Naar de film gaan of zo. Misschien kunnen we bij mij thuis iets doen. Een spelletje spelen, of...'

'Een spelletje?'

'Ach, laat maar.'

Steppo wilde haar alles vertellen. Over de autodiefstal, de kelderinbraken en hoe hopeloos hij zichzelf in de nesten had gewerkt. Dat hij ten einde raad was. Maar misschien zou dat haar afschrikken, misschien zou ze dan gaan.

Hij zei:

'Heb jij Ster van Afrika?'

'Je bedoelt dat spel met een kaart van Afrika en dat je edelstenen moet zoeken? Kaarten omdraaien met smaragden en dieven?'

'Precies, dat is tof.'

'Dat heb ik,' zei Eva. 'Maar mijn kleine broertje heeft uitgerekend op de speelkaart met de ster zitten kauwen, dus je ziet direct waar die ligt.'

De deur naar de gang stond open. Tahsin en Åsa B. liepen langs en keken naar binnen. Steppo keek op, recht in Tahsins ogen.

'Kijk daar,' zei Åsa B. 'Gadverdamme. Met die gore trut.'

En toen lachten ze tot ze aan het eind van de gang waren gekomen. Een gemaakte lach, rauw en bedoeld om te kwetsen.

Hij ketste tussen de muren, kroop in alle hoeken en gaten.

Eva trok haar handen weer terug van die van Steppo.

'Vind jij dat?'

'Wat?'

'Dat ik goor ben?'

'Nee.'

'Ik vind van wel.'

Steppo viel tijdens natuurkunde in slaap en werd hardhandig door De Cipier gewekt.

'Je moet mee naar de rector.'

In de rectorkamer zaten behalve de rector ook een aantal leraren. Gun, Nisse-Lasse, de leraar Engels en Biologie-Bengt.

'Ga zitten,' zei de rector.

Steppo ging in de zwarte leunstoel zitten. Gun keek hem bezorgd aan, Biologie-Bengt plukte aan de siervruchten, en Nisse-Lasse keek naar het schilderij met het meisje dat met haar blote bovenlijf in een Zweedse zomerwei liep.

'We maken ons zorgen,' begon de rector, 'en op deze school pakken we alle problemen resoluut aan. De schoolleiding heeft besloten dat je hulp nodig hebt.'

'Hoezo?' vroeg Steppo.

'Dat snap je zelf vast ook wel. Je ligt te slapen tijdens de lessen, verwaarloost al je schoolwerk, komt elke dag te laat, spijbelt. Veel leraren verdenken je van het gebruik van drugs. We hebben een werkgroep samengesteld en die gaat contact opnemen met je moeder en iemand van Bureau Jeugdzorg. Je krijgt doodeenvoudig hulp. We denken dat je problemen hebt in je thuissituatie.'

'Thuissituatie?' Steppo keek de volwassenen in de kamer aan.

Gun begon te vertellen hoe goed Steppo vorig semester was geweest in geschiedenis, en in godsdienst. En de rector begon over zijn zwemverleden. Iedereen kwam aan het woord en zei dat ze begrepen dat hij het nu moeilijk had, na de dood van zijn vader, en dat hij op alle steun en hulp kon rekenen die er was.

Steppo liet hen praten. Zei niets. Ze zouden het toch niet begrijpen.

28

Hij maakte de badkamerkast open en nam twee pijnstillers. Trok de sporttas uit de kledingkast, controleerde of zijn moeder sliep en ging naar buiten.

Steppo werkte de Oosterweg af. Kelder na kelder. Hij had een stevige ijzeren buis, bijna even goed als de koevoet. De buis kon je in de beugel van de sloten steken en dan was het kwestie van draaien. Boxdeur na boxdeur. Hij scheen met zijn zaklantaarn op oude fietsen, ski's en balkonmeubels. Stof dwarrelde in de lichtstraal.

In Steppo's hoofd was een afschuwelijke gedachte gekropen die hem maar niet losliet. Bij elke deur die nog niet was opengebroken, dacht hij: hierbinnen ligt Håkan. Half verrot of uitgedroogd als een mummie. Als hij dood was, moest hij ergens liggen. En was hij dood, wie had hem verdomme dan doodgemaakt?

Steppo brak overal in zonder iets van waarde te vinden. Maar in één box lagen twee exact dezelfde sierkamelen als ze thuis hadden. Chartervluchtsouvenirs, gemaakt van echte kamelenhuid. Hij legde ze in de sporttas en lachte bij zichzelf.

Had hij een doodsverlangen, of wat?

Er was nog één deur over, hoe troosteloos. Zou hij niet liever de kiosk bij Vasalund pakken? Dat was vast een koud kunstje. Hij had de deur aan de achterkant bekeken, het hangslot was stevig, maar de knop zat met belachelijk slappe schroeven vast. De kiosk had een alarm, maar het zou hem wel lukken om bijtijds weg te komen. Een sporttas met sigaretten zou Tony licht-jaren blijer maken dan een paar oude skischoenen. Alleen, de kiosk stond hem tegen. Daar inbreken was iets totaal anders dan de kelders van Solna doorspitten.

Steppo stond voor de laatste deur van de gang. Daar zat een goedkoop slot op, een makkie. Steppo nam de ijzeren buis en zette die in de beugel. Hij stopte even, dacht na. Misschien was er wél een ding dat hem kon redden, maar dat was niet hier beneden.

Hoeveel verstand zou Tony van kunst hebben?

Steppo draaide de ijzeren buis met kracht rond. Het slot knalde weg door de keldergang. Hij maakte de boxdeur open, scheen met zijn zaklamp rond en begon tussen de dozen te graven. Deze box was keurig op orde. Alles was gesorteerd in dozen met opschrift. Maar het was alleen maar rotzooi. Speelgoed, kleren, oude uitgedroogde schoenen, porselein. Een doos lego viel om op de grond.

Steppo doorzocht de planken. Schaatsen, miniski's, een oude stofzuiger. Maar toen vond hij een mooi houten kistje met de tekst: OPA'S VISSPULLEN. Hij haalde het van de plank en maakte het open.

Hij werd helemaal warm, moest op de grond gaan zitten. Het kistje zat vol werpmolens, mooie molens, alleen maar Ambassadeurs. Hij lichtte bij. Van deze exemplaren droomde hij toen hij als kind de visserscatalogus doorbladerde. Er lagen alle mogelijke modellen in de kist, de rode 5000 en de zwarte 6000c met een spoel met kogellager. En een echte oude 5000 met witte zwengels, die was zeldzaam, dat wist hij, en kostbaar.

Hij telde de werpmolens. Twaalf stuks. Sommige ware schatten. Steppo haalde er een groene werpmolen, type multiplicator, uit. Draaide eraan, het ding liep als nieuw. Precies zo een had zijn vader gehad. Steppo had de hengel mogen vasthouden toen ze al roeiend met de spinner achter de boot vis-ten. Hij had de molen nooit mogen uitwerpen, dat was alleen maar een warboel geworden, had zijn vader gezegd. Een keer probeerde hij het stiekem toch, en het wérd een enorme war-boel.

Steppo grabbelde in het schijnsel van de zaklamp tussen de werpmolens.

De herinneringen overvielen hem. In een noodvaart.

Hij begon te huilen, kon zijn tranen niet bedwingen. Er kwam iets los in zijn lichaam, het stroomde en stroomde. Zijn stem, geuren, blik. Hij zag zijn vader voor zich. Herinnerde zich hoe ze in de boot zaten. Alle dagen in hun boot.

En toen die dag dat ze de grote snoek zouden vangen. Zijn vader haatte snoeken. Voerde er een soort oorlog mee. Ze moesten weg uit het riviertje, de snoeken aten namelijk het zalmbroedsel op.

Het was wel een gelukkige oorlog, met vroege ochtenden. Een avontuur met hengel, lijn, en haak. Maar...

Steppo deed de zaklamp uit en leunde achterover tegen de dozen die hij van de planken had gemaaid en bleef in het don-ker zitten, met een werpmolen in zijn hand. Die dag stond hem nog heel helder voor de geest, alsof alles nog maar kort geleden gebeurd was. Een andere wereld, een andere tijd, maar toch glashelder in zijn geheugen. Als uit een ander leven dat hij duizend jaar geleden geleefd had.

De zwarte kleur.

De witte kleur.

De rode kleur.

Zwart, rood en wit.

Ze hadden snoekhaken uitgegooid. Lange, gebogen haken voorzien van voorn. De haken waren geknoopt aan blauw zeil-garen dat was vastgemaakt aan houten stokken met scherpe punten die waren vastgezet in de oever. Ze gingen iets vangen, het was spannend. Zijn vader meende dat er echte grote snoek in het kalme water zat. En die zouden ze vangen. Ze hadden het de hele zomer al geprobeerd, maar ze gaven niet op. Zijn vader zei dat je het nooit moest opgeven. Als je het opgaf was het een verloren zaak.

Als ze de snoek te pakken kregen, zou Steppo hem met zijn mes doodmaken. Ze roeiden tegen de stroom op. Alle haken waren leeg. Maar plotseling, achter de bocht van het stroompje, hoorden ze gespetter en geplons.

Het was geen snoek.

Het was een meeuw.

Een vechtende, spetterende meeuw. Die was tegen een langgerekte lijn aan geknald. Fladderde verlamd van schrik, stralend wit tegen het zwarte water. Probeerde lucht onder zijn natte vleugels te krijgen. De lijn verdween in zijn opengesperde snavel. Midden in zijn nek bloeide een helderrode vlek. De haak stak naar buiten. Zijn vader zei maar één woord:

'Nondeju!' Hij legde de roeispannen neer en deed zijn jack uit.

De tijd stond stil, stil in drie kleuren. De witte meeuw tegen het zwarte water, en het helderrode bloed op het verenkleed. Zwart, wit en rood.

Het onvoorziene maar toch vanzelfsprekende haalde een grap met hen uit. Ze zouden immers iets vangen? Ze waren er toch op uit om te doden? De snoek had er uit onnozelheid in moeten trappen, hém wilden ze belazeren. Maar ze hadden een meeuw uit de hemel gehaald. Steppo herinnerde zich de belachelijke vraag die hij aan zijn vader stelde. En ook het korte antwoord van zijn vader:

'Is die nog te redden?'

'Nee.'

Hij kon er niet omheen draaien, met een volwassen leugen

hoefde hij niet aan te komen. Hij hief de roeispaan op om de meeuw snel dood te slaan. Maar die ging opzij en alleen zijn vleugel werd geraakt. Er ontsnapte een vreselijk geluid uit de vogel, een droge schreeuw, een wanhoopskreet. Veren wervelden in de lucht. Zijn vader sloeg nog eens, en nog eens. De meeuw dook om te ontsnappen, vloog met trage vleugelslagen onder water, een wit schijnsel lichtte op in het donker. En zijn vader sloeg. Maar de meeuw dook dieper. Zijn vader legde de roeispaan weg en pakte de lijn. De kans om het snel en soepel te doen was verkeken. Hij sprong aan land en zei Steppo in de boot te blijven zitten. Toen trok hij de meeuw op de oever, die krijste en fladderde aan het eind van de lijn. Zijn vader trapte de vogel dood. Een knerpend geluid van broze botjes.

Steppo zat alleen in de boot en zag de witte veren op het water drijven. Ze zeilden zachtjes mee met de stroom. Zijn vader stapte in de boot, trok zijn jack aan en roeide.

Dat was de laatste zomer. Hij was al ziek.

Er sloeg een deur dicht en het licht in de kelder ging aan. Steppo stopte de kist met de werpmolens in de tas en zette het op een lopen.

Naar boven en naar buiten.

29

Het was zondag en het sneeuwde buiten. Steppo lag op bed en vroeg zich af of hij ooit nog overeind zou komen. Had het überhaupt zin om nog uit bed te stappen? Hij dacht na, zocht. Als hij de fut had gehad, was hij zich gaan douchen, had hij schone kleren aangetrokken en was naar Eva op de Charlottenburgerweg gegaan om Ster van Afrika te spelen.

Zijn moeder stond voor zijn bed, haar armen vol schone kleren.

'Ze hebben gebeld van school. Ze willen dat ik op gesprek kom. Wat heb je nu weer geflikt?'

'Niets. Gewoon zo'n standaardgesprek over m'n vorderingen.'

'Aha,' zei ze en ze liep met de kleren naar de kast.

Steppo kwam snel overeind.

'Ik ruim ze zo zel...'

Ze deed de deur open en de sporttas viel eruit. Alles kletterde op de vloer: werpmolens, prullaria, een muntenverzameling en twee paar zo goed als nieuwe schaatsen. De munten rolden over de vloer.

'Wat is dit in hemelsnaam?'

Ze kiepte de tas om, trok alles uit de kast, en ging toen helemaal door het lint. Wijdbeens stond ze voor hem en staarde hem aan, trillend en schreeuwend:

'Duivelse dief! Een verrotte duivelse dief ben je!'

Ze vloog op hem af en trok hem aan zijn haar. Toen sloeg

haar hoofdzekering door. Ze rende de huiskamer in en veegde alles van de planken. Boeken, vazen, sierborden, foto's. Smeet een grote asbak aan diggelen.

'Verdomme. Ik wil dood!'

En toen ging ze op de bank zitten huilen met haar hoofd in haar handen.

Steppo stond in de deur en keek naar haar.

'Het is allemaal niet zo erg,' probeerde hij. 'Het zijn alleen maar kelderprullen, spul dat mensen niet meer willen hebben.'

Ze keek op, haar gezicht helemaal rood en gezwollen.

'Stomme idioot! Hoe kun je me dit aandoen? Hoe kun je Göran dit aandoen, en...'

Haar mond bleef hangen zonder woorden te vormen. Maar toen kwamen ze toch, met moeite:

'Een geluk dat hij dood is.'

Ze stond op en rende naar het balkon.

'Nee!' schreeuwde Steppo en hij vloog achter haar aan.

Ze schudde en trok aan de balkonreling alsof ze die probeerde los te trekken. Schreeuwde zo hard dat het tussen de huizen weerkaatste, toen kalmeerde ze en ging weer naar binnen. Bleef onder de kristallen kroonluchter staan en keek naar het ontbrekende stukje.

'Oooh, stelletje rotzakken allemaal!'

Ze sleepte er een stoel onder, klauterde erop, haakte de kroonluchter van het plafond en liep ermee naar het balkon. Ze hield het ding over de reling en liet los. Steppo zag de kristallen kroonluchter door de lucht suizen, hij zweefde langzaam rond met rinkelende prisma's. Dertien verdiepingen. Een eeuwigheid. En toen een explosie op de betonnen platen. De kristallen verspreidden zich over de hele binnenplaats.

Een vrouw die net uit het washok kwam, schrok zich rot en schreeuwde iets wat hen daarboven niet bereikte. Ze zagen alleen beneden een mond die wijd openstond. Steppo's moeder liep naar binnen en ging op de bank zitten. Staarde met een duizendmeterblik voor zich uit. Toen begon ze hysterisch te lachen, of was het huilen? Steppo wist het niet.

Hij liep naar zijn kamer en pakte de sporttas in.

Tony stortte alles uit op de betonnen vloer, raapte een sierkameel op en keek Steppo met een vermoeide blik aan.

'Je steekt de draak met mij.'

'Maar de werpmolens dan,' zei Steppo. 'Sommige zijn wel duizend kronen waard, of meer.'

'Wie weet. Maar het gaat te langzaam, ik heb een andere klus voor je.'

Tony opende de ijskast en pakte een melkpak. Daar zat geen melk in, maar allemaal kleine, keurig in folie verpakte stukjes hasj.

'Dit spul mag je gaan verkopen. En ik heb ook nog wat anders.'

Hij bukte zich en haalde een rooster aan de onderkant van de ijskast weg. Er kwam een doos tevoorschijn die hij Steppo voorhield. Zakjes met pillen en zakjes met poeders, netjes gesorteerd.

'Probeer dit eens uit op school.'

'Nee.'

Tony greep hem beet.

'Snap je het niet? Je bent mij sodekanonnen veel poen verschuldigd, jochie, en dan kom je met oude schaatsen en suffe prullen aanzetten. Ik word zo waanzinnig moe van jou. Wie wil er verdomme nou oude werpmolens en koperen kandelaars hebben?'

'Maar...'

'Hou je bek, denk maar liever aan je knieën.'

Er werd op de deur geklopt. Tony liet zijn greep verslappen

en liep weg om de deur open te doen. Het was Jocke. Die droeg iets groots dat in een deken was gewikkeld.

'En wat mag dat nou weer zijn?' informeerde Tony. 'Een reuzenkameel, of wat?'

Jocke keek hem nerveus aan, snapte er niets van.

'Nee,' zei hij, de deken eraf wikkelend.

Er zat een gitaar onder, een rode Fender Stratocaster. Tony pakte hem uit Jockes armen en stuntelde wat met akkoorden. Jocke had geen rust, wiebelde de hele tijd van zijn ene voet op de andere, zijn handen schoven steeds in en uit zijn zakken, hij krabde in zijn nek.

'Die is goed, helemaal oké,' zei Tony. 'Moet je nog iets hebben?'

Dat moest Jocke. Hij kreeg pillen en poeders in keurige zakjes en taaide af.

'Kijk zoiets,' zei Tony en hij hield Steppo de gitaar voor, 'zoiets zou jij nou ook moeten scoren. Begrijp je?'

'Ik weet ergens een kunstwerk.'

'Kunstwerk?'

'Zo'n geschilderd ding.'

'Met elanden erop?'

Tony legde de gitaar op de werkbank.

'Nee, een duur schilderij. Evenveel waard als een auto.'

'Maar met zulke zaken hou ik me niet bezig.'

'Het is mooi en geschilderd door iemand die Birger Ljungquist heet.'

'Nooit van gehoord.'

'Het is een meisje in een rode rok en met een bloot bovenlijf dat tussen vlinders en berken wandelt. Ze heeft grote voeten, maar verder is ze prachtig.'

'Birger Ljungquist?'

'Ik kan het schilderij wel regelen. Dan staan we quitte.'

'Schei uit, je mag voor me gaan verkopen.'

'Nee,' zei Steppo en hij pakte de sporttas. 'Ik heb een nieuwe koevoet nodig.'

30

De deur naar de kamer van de schoolverpleegkundige zat op slot. Op een papiertje stond dat ze zo terug was.

'Ze is er ook nooit.'

Steppo keek de bibliotheek in. Daar zat Eva en die keek blij toen hij binnenkwam. Ze stond op en omhelsde hem, wat hem verraste. Hij wist eerst niet waar hij zijn armen moest laten, stond er even wat onhandig mee in de lucht, maar legde ze toen om haar heen. Hij hield haar stevig vast en sloot zijn ogen. Ze was warm en ze rook lekker.

'Gaan we nu met elkaar?' vroeg Eva.

'Ik weet niet,' zei Steppo. 'Misschien wel, ja.'

'Als jij het wilt, dan wil ik het.'

'Er is één ding dat ik je moet vertellen, het is belangrijk.'

'Wat dan?'

'Als mij iets overkomt, dat je dan weet waarom.'

Eva maakte haar armen los, leunde naar achteren en keek hem vragend aan.

'Hoezo, iets overkomt?'

'Ik ben een duivelse d...'

Dembo kwam de bibliotheek in met een stapel atlassen onder zijn arm. Hij keek naar hen en begon te lachen.

'Hoe kun je nu verdomme met háár zijn? Je zei toch dat ze goor was.'

'Wat bedoel je?' zei Steppo.

Eva deed een stapje achteruit en staarde verbaasd van Steppo naar Dembo en weer naar Steppo.

'Dat heb ik niet gezegd.'

'Wel waar!' zei Dembo. 'Toen we laatst bij Charlies zaten.'

'Nee. Ik zei alleen dat ze... dat ze... ach, shit.'

Steppo kwam te laat tot zichzelf. Hij wist niet wat hij moest zeggen. Hij stond daar maar, een beetje verdwaasd.

Eva pakte haar tas en rende weg.

'Wacht, stop!' schreeuwde Steppo.

Maar ze stopte niet.

Daarna ging alles razendsnel. Voor Steppo wist wat er gebeurde, had De Cipier hem de lerarenkamer in gesleept en hem in een stoel geduwd. De rector stond er met een aantal leraren. Hij had de pestcommissie in ijltempo opgetrommeld, en Steppo werd beschuldigd van racisme, pesterij en geweldpleging. Dembo lag bij de schoolverpleegster die een zware bloedneus probeerde te stelpen.

Volgens de bibliothecaris, die getuige was geweest van wat er gebeurde, had Steppo Dembo in zijn gezicht gemept. Drie keer. Dembo was op de vloer gegleden. Steppo had hem geschopt en een massa schuttingwoorden geschreeuwd, was boven op hem gaan zitten en had hem geslagen tot De Cipier kwam en hem van Dembo af had gesleept.

Steppo kon zich er niets meer van herinneren, zijn hersens waren ongevraagd veranderd in een roodgloeiende, oververhitte klomp. Een soort lava. Hij zat op de stoel met de pestcommissie om zich heen en keek naar zijn knokkels. Die zaten onder het bloed. De groep praatte niet met hem, ze praatten óver hem. Dat maakte Steppo niet uit, want als het waar was wat ze zeiden, dan nam hij de gevolgen op de koop toe. Ze zouden het toch nooit begrijpen. Hij was in zijn wereld en zij waren in de hunne, en tussen die werelden zat een oneindigheid. Hij was niet van plan iets te vertellen, dat vertrouwen zouden ze nooit van hem krijgen.

Toen ze waren uitgepraat, mocht hij gaan.

Eva was niet meer op school. Hij vond haar bij de vijver in het slotpark, ze zat op de stenen bank en staarde in het water. Steppo ging dicht bij haar zitten, maar ze schoof naar het uiteinde zonder hem aan te kijken.

'Het is niet waar hoor,' probeerde hij.

Eva stond op en keek hem aan.

'Je bent precies als alle anderen. Eerst dacht ik van niet, maar je bent net als de rest.'

'Nee, ik ben helemaal niet... En ik heb niet gezegd dat...'

'Het doet er niet toe wat je wel of niet hebt gezegd. Je schaamt je voor me, dat is het. Je bent laf. Ik dacht van niet, maar je bent laf.'

Ze liet hem zitten. Rende weg.

Steppo raapte een steen op en smeet die in het water. Een paar eenden stegen op en vlogen weg. Hij was eenzaam en had een gevoel alsof hij vergiftigd was, zijn hart werd zwart. Hij haatte alles en iedereen. Maar het allermeest haatte hij zichzelf.

Het spijt me. Het spijt me zo!

31

Tony keek in de sporttas en zei dat hij de spullen niet wilde hebben, niets. Steppo pakte de rode Strato en pingelde er een beetje op.

'Dit is alles wat ik heb. Je mag me afmaken, het kan me niets meer schelen. Ik ben toch al dood.'

Tony lachte. Steppo schrok ervan. Het was een gewone lach. 'We lossen het wel op. Ik heb me bedacht wat betreft dat schilderij waarover jij het had. Ik heb contact gezocht met iemand die in antieke dingen en schilderijen doet, en die is best geïnteresseerd. We kunnen een deal sluiten.'

'Een deal sluiten? Wat dan?' zei Steppo en hield op met pingelen.

'Jij zorgt voor dat schilderij, dan zetten we er een punt achter. En dan kun jij lukraak de straat oversteken op een zebrapad zonder stoplichten. Is dat oké?'

'Ja.'

Ze hadden een scheikundetoets, waar Steppo absoluut niets van bakte. Koolstofverbindingen, het ging belabberd. Hij antwoordde naar beste kunnen, zat de tijd uit, leverde het proefwerk in en liep naar de hoofdingang. Inspecteerde de deuren. Het slot was waardeloos en kon je in vijf seconden openbreken. Het had niet eens een metalen plaatje ter bescherming, het hout zou direct bezwijken. Het gebouw had een alarmsysteem, maar dat was geen probleem. Wat hij doen moest, ging snel.

Dick liep langs en hing zelfgemaakte affiches op de deur van de hoofdingang. Devils Dog zou die avond in het clubhuis van het stadion spelen.

'Heb je wel een gitaar?'

'We lenen spullen, er spelen meer bands. Wij zijn als eerste. Om zeven uur.'

'Oh.'

Daarna zeiden ze niets meer, er viel niets te zeggen. Steppo liep de trap af naar de schoolverpleegster. Nu was ze weer bezet. Åsa B. en Tahsin zaten binnen.

'Je moet even wachten,' zei de verpleegster.

Eva zat op haar gebruikelijke plaats in de bibliotheek. Ze zag hem binnenkomen, sloeg haar boek dicht en stapte op. Liep vlak langs hem heen zonder iets te zeggen.

'Maar,' zei Steppo, 'we kunnen toch wel...'

Hij ging op de stenen trap zitten, streek met zijn hand over de fossielen. De traptrede was koud. Hij dacht aan Dick en zijn droom om iemand te zijn. Vanavond zou hij het mogen laten zien, op het podium staan. Misschien kon hij ook gaan luisteren? Maar wie waren ze? Behoorde hij tot hun groep? Waren 'ze' alle anderen? Waren 'ze' altijd alle anderen? Dick wilde beroemd worden, iedereen wilde beroemd worden. De droom om iemand te zijn, en vooral niet jezelf. De droom om ergens anders te zijn, en vooral niet hier. Er moest iets anders zijn, er moesten alternatieven bestaan. Steppo wist dat er ergens een ander leven aan de gang was, een goed leven als een leuk feest waarvoor je niet was uitgenodigd. Hoe vond je de weg daar naartoe?

Maar van jezelf kwam je nooit af. Er bestonden wel verschillende methodes om het te proberen. Een daarvan was stuff kopen bij Tony. Anderen deden het in hun wanhoop met lijm of aanstekergas.

Tahsin en Åsa B. kwamen uit de kamer van de schoolverpleegster.

Ze bleven voor hem staan, en Åsa B. zei:

'Je kunt Dick zeggen dat ik niet zwanger ben.'

Steppo trok zijn broek naar beneden en ging op de brits zitten. De schoolverpleegster keek met een bezorgd gezicht naar de wond.

'Dit ziet er niet goed uit, je moet ermee naar het ziekenhuis.'

'Nee, het voelt nu echt beter dan een tijdje geleden.'

'Ik vind dat je moet gaan. De wond is geïnfecteerd.'

Steppo knikte en de verpleegkundige maakte de wond schoon en verbond hem opnieuw.

'Heb je Dembo gezegd dat het je spijt?'

Ze keek hem aan terwijl ze de wond verzorgde.

'Hoezo?'

'Dat begrijp je toch wel?'

'Nee.'

De schoolverpleegster stopte halverwege het zwachtelen.

'Nils Larsson heeft de mishandeling bij de politie aangegeven.'

'Oh,' zei Steppo.

'Oh? Is dat alles wat je te zeggen hebt?'

Steppo hield zijn mond en de verpleegster zei:

'Er zou een arts naar moeten kijken.'

Steppo trok zijn broek omhoog en ging.

De trap omlaag naar de schuilkelder was enorm lang. Dick maakte altijd grapjes over hun bomvrije repetitieruimte. Steppo draaide het grote ijzeren wiel op de gepantserde deur om. Daarachter was het stil en leeg. Daar stonden de instrumenten. Een bas, Jockes oude gitaar en een drumstel, maar geen spoor van Devils Dog. Er stond een versterker aan die zwak zoemde en een stel bekkens was omgekieperd. Over de hele vloer lagen eigengemaakte affiches verspreid. Hij moest Dick ergens anders zoeken, misschien in het overblijflokaal. Hij zou blij zijn te horen dat Åsa B. niet zwanger was. Steppo kreeg ineens zin om de drums uit te proberen. Hij liep ernaartoe en zag toen dat er iemand achter het drumstel lag. Dick, en hij lag op zijn buik. Steppo ging op zijn hurken zitten en schudde Dick door elkaar, maar hij leek totaal levenloos.

'Wat is er verdomme gebeurd?'

Steppo draaide hem op zijn rug. Sloeg hem op zijn wangen. Dicks mond zakte open en er kwam een zwak geluid uit.

Op de betonnen vloer naast Dick lagen twee lege plastic zakjes.

Alle leerlingen hadden middagpauze toen de ambulance het schoolplein op reed. Een paar honderd keken toe hoe Dick naar buiten werd gedragen, vastgegespt op een brancard, gewikkeld in een gele deken waarop REGIONALE ZORG stond. Hij werd beroemd, maar zou het optreden missen.

De rode digitale cijfers stonden op 02:42.

Kon je het aan iemand uitleggen? Nee. Je kon nooit iets uitleggen. Je kon niet eens uitleggen wie je was.

Wie ben ik?

Hier ben ik.

Zo een ben ik.

Geloof in mij.

Je krijgt mij.

Hou van mij.

Shit shit shit, wat zou hij graag Ster van Afrika spelen.

32

Het was drie december, kwart voor één 's nachts. Het sneeuwde hevig en de sneeuwschuivers denderden als briesende dra-
ken door Solna. De oranjekleurige lampen knipperden en de
sneeuwhopen groeiden.

Uit de ramen straalde het licht van adventskandelaars en
rode sterren.

Steppo liep naar de school. Sporen in de sneeuw, shit, wat
stom.

Het schoolplein lag er wit en verlaten bij. De grote windwijzer in zijn sneeuwgewaad leek op een sprookjesboom. Mooi,
dacht Steppo en hij kreeg zin om in de boom te klauteren. Om
daar te gaan zitten en met zijn tong sneeuwvlokken op te vangen en te bedenken dat het bijna Kerstmis was. Om van daaruit te zien hoe in Hagalund het licht van de adventsterren en
de kandelaars uit honderden ramen straalde.

Misschien had dat in een andere wereld gekund, maar niet
in deze waarin hij vertoefde. Adventkandelaars en kerst voelden vooral als iets bespottelijks. Waar waren die verdomme
goed voor?

Kerstmis was shit.

Hij draaide zich om en zag zijn eigen sporen dwars over het
schoolplein lopen. Niet zo best. Ach wat, het waren maar sporen. Of zouden ze het busje met speurhonden erop afsturen?

Steppo inspecteerde de deur, streek met zijn vinger langs de
kier. Haalde de koevoet uit de tas, stak het vlakke uiteinde pre-

cies daar waar de tong van het deurslot zat, hield hem daar, maar zette geen kracht.

Hij had ineens een voorgevoel.

Haalde de koevoet weg en keek naar de deur. Er klopte iets niet, maar hij wist niet wat. Hij voelde aan de deurknop. De deur was open.

Hij stond een tijdje stil in de foyer en luisterde. Het was doodstil. Er kon verdomme toch niemand hier zijn nu, midden in de nacht? Wie zou dat dan zijn en waarom? Ze waren vast vergeten af te sluiten. Hij sloop langs de administratie, hield zijn adem in voor de kamer van de rector en luisterde opnieuw. Een van de metalen kasten van de leraren stond open. Steppo knipte zijn zaklamp aan en zag dat het slot openhing aan de beugel van de kastdeur. De kast was van De Cipier want de hele bovenste plank lag vol geopende pakjes sigaretten die hij van leerlingen had gejat. Helemaal onder in de kast, op de bodem naast een paar sandalen, lag een stapel pornoblaadjes.

Steppo deed zijn zaklamp uit en opende de deur van de rectorkamer. Sloop door het donker maar stootte tegen de tafel zodat de siervruchten uit de schaal rolden en over de vloer stuiterden.

'Shit!'

Hij kroop over de vloer en raapte de gesneuvelde porseleinen peren en appels op. Hij sneed zich aan de scherven en er vielen bloedspetters op de vloer. Op de gang klonken geluiden. Er kletterde iets. Steppo stond verstijfd van schrik met een halve peer in zijn hand. Had hij het goed gehoord of waren dat de zenuwen? Hij hield zich heel lang stil, maar hoorde niets meer. Misschien was het gewoon inbeelding. Het zweet parelde op zijn voorhoofd en drupte onder zijn oksels uit. Hij had koorts. Shit man, nu moest hij het doen, snel, en 'm smeren. Alles zou voorbij zijn, alles zou goed komen. Hij gooide de tas op de tafel van de rector en knipte de zaklamp aan.

Het schilderij hing er niet. Het was weg! De plek was leeg, op een stevige spijker na. Steppo scheen de kamer rond. Het was ook nergens.

Hij pakte de tas en maakte dat hij wegkwam.

De kast van De Cipier zat weer op slot.

De deur van de hoofdingang ook. Het slot had aan de binnenkant geen deurknop. Hij moest zich naar buiten breken met de koevoet. Het alarm ging af, een hels geloei barstte los door de hele school. Steppo rende over het schoolplein. Er waren geen andere sporen dan de zijne. Hij draaide zich om en keek naar de loeiende school.

Er stond iemand in het raam helemaal boven aan het trappenhuis naar hem te kijken.

De volgende ochtend liet hij school voor wat het was. Hij bleef in zijn bed liggen, onwaarschijnlijk moe. Viel nog een paar keer in slaap. Toen hij goed en wel was opgestaan, was het middag en bewolkt, grijs en al schemerig.

Steppo liep Charlies binnen. De vloer was nat en vies van naar binnen gelopen sneeuw en zand. Er was niemand, het café was helemaal leeg. Charlie stond achter de bar en las een krant. Ze knikten naar elkaar. Steppo pakte een cola en installeerde zich bij de flipperkast. Stopte er een muntstuk van vijf kronen in en het spel kwam tot leven. Hij stond een beetje droog te flipperen, en schoot toen het balletje weg. Het stuiterde en vloog heen en weer. De punten liepen op.

De deur ging open, sneeuw dwarrelde op de vloer. Tony C. Backman was gekleed in een zwarte, lange jas, droeg zwarte handschoenen en een zonnebril, hoewel het buiten december-donker was.

Steppo ving het balletje met de flipper op en hield het daar even, keek op naar het plafond en slaakte een zucht. Hij speelde verder. Tony liep naar hem toe en steunde met beide handen op de lange kant van de flipperkast. Hij volgde de gang van de glimmende, metalen kogel onder het glas. Het werd een lange ronde. De puntenscore kwam dicht bij vrijspel. Heel dichtbij.

Tony schudde aan de kast die op tilt sloeg, en het balletje rolde ongehinderd tussen de geblokkeerde flippers weg.

'Wat jammer nou, net nu je er zo dichtbij was.'

Steppo drukte op de knoppen, maar het spel was dood.

'Hoe gaat het met het schilderij?'

'Het ging niet.'

'Ook jammer zeg.'

Steppo zocht in zijn zakken naar een nieuw muntje van vijf.

Tony schoof zijn zonnebril omhoog en keek hem aan.

'Doe je ook aan sport? Ik geloof niet dat ik je dat al eens eerder heb gevraagd. Voetbal, hockey, zaalbandy?'

'Nee.'

'Misschien moet je eens over rolstoelbasketbal gaan denken.'

Tony draaide zich om en liep naar buiten. Er waaide sneeuw naar binnen.

33

Halftien 's avonds. Steppo was met zijn inbraken inmiddels al helemaal bij de Eendenvijverstraat aangeland, achter de Schuttersheuvelschool. Hij voelde aan een voordeur. Die zat op slot, het was een codeslot. Steppo probeerde wat cijfercombinaties uit, maar hij kwam er niet in. Hij liep een stukje verder over de stoep en zag een trap naar een kelderdeur, bescheen die met zijn zaklamp. Die deur zag er makkelijk uit.

De voordeur ging open en een oud mens met een hond waggelde naar buiten. Steppo deed de zaklamp uit en hurkte bij een elektriciteitskast. De hond was klein en droeg een rode strik op zijn kop en een soort geruit truitje om zijn lijfje.

'Vooruit, poepen,' zei het mens.

De hond drukte zijn achterste omlaag en begon te persen.

'Schiet op, mijn tv-programma begint zo, je weet dat ik het niet wil missen.'

De hond jankte even en poepte, en het mens raapte het op met een zwart zakje dat ze in de afvalbak gooide. Daarna pieste de hond tegen de paal van de afvalbak, en toen hij klaar was tilde het mens de hond op en verdween weer door de voordeur.

Steppo knipte de zaklamp aan en zag iets geels op de elektriciteitskast glimmen. Een muntje van tien. Steppo probeerde het te pakken, maar het zat vastgelijmd.

'Wat nou, verdomme?'

Hij nam de koevoet en gaf een mep. Het muntje liet los, hij stopte het in zijn zak, liep de trap af en brak de deur open.

In de eerste kelderbox vond hij de gebruikelijke dingen. Autobanden, balkonmeubels, een kinderstoel, een oude slaapzak, dozen met kleren en wat oud speelgoed. Er stonden een prachtige stoommachine en wat kapotte Märklin-locs. Die verdwenen in de sporttas. In de volgende box viel het licht van de zaklamp op een piano, en daarop stond een hele rij slalomskischoenen. Steppo koos de mooiste paren uit. Tony zou er niet blij mee zijn, maar Steppo was van plan hem in kelderboxspullen te verzuipen. Hem het leven zuur te maken met oude schaatsen, stoffig speelgoed en sierkamelen. Het was maar zeer de vraag of dat zijn redding was, maar hij hoopte op...

Ja, waar hoopte hij eigenlijk op?

De volgende boxdeur was interessant. Die had twee sterke sloten, steviger dan hij tot nog toe had gezien, één aan de boven- en één aan de onderkant. Overduidelijk dat iemand hier zuinig op iets was. De sloten waren niet stuk te krijgen, maar de scharnieren van de deur leken nergens op.

Steppo hield de zaklamp in zijn mond, richtte het licht op de scharnieren en sloeg de pinnen er met de koevoet en een schroevendraaier uit. Toen brak hij de deur open en scheen naar binnen.

Hij ging bijna dood van schrik.

Een paar roodgele ogen staarden hem aan: de duivel met hoorns op zijn voorhoofd! Steppo struikelde en de duivel viel over hem heen. Hij verloor zijn zaklamp en donderde achterover. Het werd donker. Steppo lag op de betonnen vloer en er lag iets op zijn buik – iets zachts. Hij tastte de vloer af, op zoek naar de zaklamp. Hij vond hem terug, en moest ermee schudden en slaan om het ding weer aan de praat te krijgen.

Er was een oehoe boven op hem gevallen. Hij zette het dier overeind en scheen bij. '1903' stond er op het plaatje dat op de voet gemonteerd was. Steppo stond op en richtte de lichtkegel door de box. Er stonden meer vogels en een egel. Maar dat was nog niet alles: bandrecorders, een stereo, twee projectoren. Op alles stond een stempel met HAGALUNDSCHOOL. Helemaal achter in de box stond een schilderij tegen de muur met de achterkant naar voren.

Steppo wurmde zich ernaartoe en kantelde het schilderij een beetje van de muur af. Het meisje in de rode rok.

Steppo haalde de skischoenen en het speelgoed uit de tas en pakte die opnieuw in. Eerst de roofvogels, heel voorzichtig. Hij nam alleen die exemplaren waarvan hij dacht dat ze het meest zeldzaam en waardevol waren. Het schilderij stopte hij in een slaapzak. Meer kon hij niet meenemen. Maar toen zag hij een blikken kistje, hoog op een plank, en hij haalde het eraf. Het was oud en zat op slot. Het was een degelijk exemplaar, vast bestemd voor kostbare voorwerpen. Hij schudde ermee. Er zat iets in, maar het rammelde niet. Misschien waren het bankbiljetten, maar wie bewaarde er nou geldbriefjes in een kelder? Steppo stond even stil en keek naar alle prullen om zich heen. En wie had nou zo'n kelderbox? Het leek wel een hol waar van alles naartoe was gesleept. Wat hij nu stal was al gestolen. Van wie stal hij eigenlijk? Wilde hij dat weten?

Ja.

Moest hij het weten?

Nee.

Hij probeerde het kistje open te breken, eerst met de koevoet en daarna met de schroevendraaier, maar kon er niet goed grip op krijgen. Steppo smeet het een paar keer tegen de betonnen vloer. Er gebeurde niets. Hij had een hakbeitel nodig. Tony had goed gereedschap. Steppo stopte het kistje onder de vogels, pakte het schilderij en de tas, en verliet de kelder.

Tony tilde de vogel op en staarde Steppo verbaasd aan.

'Wat moet dat nou weer voorstellen?' vroeg hij.

'Een oehoe.'

'Een stoffige vogel.'

'Nee, hij is mooi. Kijk eens naar zijn ogen, naar zijn gezicht.'

'Gezicht. Een vogel heeft verdomme geen gezicht. Wat heb je nog meer?'

'Het schilderij en dit kistje.'

Steppo haalde het schilderij uit de slaapzak.

'Mooi. Wat zit er in dat kistje?'

'Weet ik niet,' zei Steppo. 'Ik kon het niet open krijgen. Je hebt een hakbeitel nodig.'

Tony nam het kistje mee naar zijn werkbank en klemde het vast in een grote bankschroef. Hij begon te kloppen en te slaan. Steppo keek in de total loss gereden Cadillac. Hij opende de bestuurdersdeur. De zittingen lagen bezaaid met duizenden kleine, vierkante stukjes glas. Het rook in de auto nog steeds naar kots. Hij liep eromheen, naar de passagierskant. Die deur kreeg je nooit meer open, zo ver was die naar binnen gedrukt. Daar had hij gezeten en pas nu besefte hij hoeveel geluk hij had gehad. De klap was tussen de voor- en de achterdeur terechtgekomen, de meeste kracht was opgevangen door de middenpaal. Alle ruiten waren verbrijzeld. Hij stak zijn hoofd naar binnen. Er zat bloed op de passagierszitting. Steppo voelde aan zijn dij. Die deed nog steeds pijn. Misschien moest hij ermee naar het ziekenhuis zoals de schoolverpleegster had gezegd. Werd zijn koorts misschien door de wond veroorzaakt?

'Wat is dit, sodeju?' schreeuwde Tony. 'Wat heb je nou meegenomen, verdomme?'

Steppo richtte zich op en keek over het autodak. Tony hield een masker in zijn ene hand, een duivelsmasker, en in de andere hand een slipje.

'Een Snoopy-slipje?' zei Tony. 'Is dit een grap? Hè, wat? Ben je verdomme zo jaloers?'

Tony smeet alles in een grote vuilnisbak en schreeuwde Steppo toe:

'Is dit een zieke pedofielengrap?'

'Maar...' sputterde Steppo tegen.

'Eruit!' schreeuwde Tony. 'Maak dat je wegkomt, ik wil je nooit meer zien.'

Steppo haalde zijn schouders op en liep de werkplaats uit. Bleef buiten in de vieze sneeuwsmurrie staan. Hij begreep er niets van.

Hij was vrij, maar verward. Wat had hij nou eigenlijk gevonden?

Hij liep door de moddervlakte naar de weg. Twee donkere auto's stonden aan de overkant geparkeerd. Ze hadden daar niet gestaan toen hij was gekomen. Hij zag links van hem iets bewegen, er hurkte iemand achter het wrak van de Saab! Plotseling werd hij van achter aangevallen en toen lag hij op zijn buik in de sneeuwbrij. Overal waren politieagenten.

'Stilliggen, mannetje, en wel héél stil!'

Politiebusjes en auto's reden met zwaailichten tot bij de werkplaats, en de agenten stormden van alle kanten het gebouw binnen. Er klonk een hoop geschreeuw, en daarbovenuit commando's. Steppo draaide liggend zijn hoofd om en zag hoe ze Tony naar buiten sleepten. Ze liepen vlak langs hem heen, Tony rukte zich los, schopte Steppo en schreeuwde:

'Ik maak je kapot!'

Toen kwam hij boven op hem zitten en sloeg hem op zijn hoofd.

'Ik ben geen zieke pedofiel!'

De politieagenten trokken Tony weg en duwden hem in een auto.

Steppo moest heel lang met zijn gezicht in de sneeuwsmurrie blijven liggen, er stonden allemaal mensen om hem heen. Hij kreeg het goed koud en had knetterende koppijn. Hij hoorde stemmen.

'Dit is te gek voor woorden,' zei iemand. 'Zou dat echt zo zijn?'

'Ziet er wel naar uit, maar we moeten het masker controleren en of het het juiste slipje is. Dat is een fluitje van een cent.'

'Wat een klootzak, zeg.'

'En, zoals verwacht, de werkplaats puilt uit van de gestolen goederen, van de vloer tot aan het plafond. Drugs vinden we er vast en zeker ook nog, en waarschijnlijk niet zo'n klein beetje.'

'Dan zou dit wel eens de dag van de ontknoping kunnen zijn.'

Steppo voelde een stevige greep om zijn armen, werd omhooggetrokken tot hij op zijn benen stond en keek in het gezicht van Jan Åke Stål.

'Hallo,' zei die. 'Komt dat even goed uit. We zijn namelijk naar jou op zoek, alhoewel niet direct op deze plek.'

Voor de tweede keer zat Steppo in het kantoor van Jan Åke Stål. Hij keek naar de visfoto's en de schilderijen met zalmvliegen.

'Stal jij voor Tony?'

'Nee.'

'Wat deed je daar dan? Drugs kopen?'

'Nee.'

'Oh, hier word ik nou zó moe van. Volgens mij weet jij hartstikke veel. Als ik je nou zeg dat ik je hulp nodig heb, want er zijn dingen die ik niet begrijp.'

'Ik weet niets.'

'Maar waarom was je daar dan in hemelsnaam?'

'Liep toevallig langs.'

Jan Åke Stål slaakte een diepe zucht en sloeg zijn handen tegen zijn voorhoofd.

'Weet je nog dat je hier van de herfst kwam praten over een Snoopy-slipje?'

'Kan.'

'We hebben het gevonden. En het masker ook. Maar dat was niet wat we daar zochten. Het ziet er somber uit voor Tony. Als hij met zoiets op zijn kerfstok in een inrichting belandt, krijgt hij het verrekt zwaar. Seksuele vergrijpen tegen kinderen, dan heeft hij geen leven meer, daar zorgen de andere geïnterneerden wel voor.'

'Ja ja,' zei Steppo.

'Wist je dat hij het was?'

Steppo haalde zijn schouders op, zei niets, scheurde een stukje van zijn nagel.

'Wil je dat ik met je moeder ga praten? Haar bel?'

'Dan gaat ze dood. We wonen verrekte hoog.'

'Oké, dan doe ik het niet.'

'Bedankt.'

'Als ik de vraag nou zo stel: dénk je zelf dat hij het is?'

'Ik weet het niet.'

'Het is ongelooflijk hoe jij het klaarspeelt...'

De deur ging open. Een agent leunde tegen de deurpost en zei tegen Stål:

'Tony weigert ook maar iets los te laten. Hij zegt alleen dat we hem de volgende keer kunnen oppakken voor moord. We rijden hem nu naar de Kronobergsgevangenis. Het slipje en het masker lijken te kloppen, maar dat moeten we morgen checken.'

De politieman in de deur keek Steppo aan:

'Jij bent degene op wie hij het heeft gemunt.'

'Ik heb niets gedaan,' zei Steppo. 'Ik liep toevallig voorbij.'

'Je krijgt een lift naar huis,' zei Stål, 'en daar ga jij eens heel grondig nadenken, mannetje. Dan praten we later verder. Is dat afgesproken?'

'Ik weet niets. Ik heb niets gedaan.'

Op het gezicht van Jan Åke Stål verscheen een gekwelde uitdrukking.

'Maar verdomme, je hébt het een en ander uitgevreten, ik weet het zeker. We hebben een onvoorstelbare golf kelderinbraken in Solna achter de rug, in geen enkel politiedistrict in heel Zweden is zoiets ooit eerder vertoond. Maar eerst moeten we belangrijker zaken oplossen. Zaken die ik niet begrijp, en volgens mij kun jij me helpen.'

'Zet me maar in de gevangenis, het is toch één grote shitzooi.'

Stål wierp hem een vermoeide blik toe.

'Ik mag je, al weet ik niet precies waarom. En ik verzeker je dat we gaan uitzoeken wat jij al dan niet gedaan hebt. Ik heb hier een aantal aangiftes. Onder andere van een inbraak in de school, iemand heeft je gezien. Bij Tony stonden wat spullen van school. Maar voor nu kappen we ermee. Ik wil weten of we de seksmaniak te pakken hebben of niet.'

'Weet ik niet.'

'Ik word hier zo moe van. Bengtsson rijdt je naar huis, dan praten we later verder. Als je ouder was geweest dan had ik je achter slot en grendel gezet, het is maar dat je het weet.'

Zijn moeder was wakker en zat tv te kijken toen hij thuiskwam.

'Waar ben je geweest?'

'Buiten.'

Steppo sloot zich op in zijn kamer. Ging op bed liggen. Probeerde na te denken. Zijn hoofd tolde. Eerst had hij het wel best gevonden dat Tony was gepakt met het masker en het slipje. Hij mocht wat hem betrof vastzitten voor al het duivelse kwaad op de hele wereld. Maar nu wist hij het niet meer zo zeker. Ooit kwam Tony natuurlijk weer vrij en dan...

Van wie was die kelderbox?

34

Steppo was een week niet naar school geweest en niemand had zich er druk om gemaakt. Daarom ging hij weer. Maar het was alsof hij niet bestond. Dick knikte naar hem, dat was alles, en alle anderen gleden langs hem heen alsof hij onzichtbaar was. Steppo stond bij zijn kast en keek naar zichzelf, keek omlaag naar zijn lichaam. Strekte zijn armen uit, keek naar zijn handen. Hij bestond. Maar niet hier.

Opvallend was dat hij ook voor de leraren niet leek te bestaan, alsof hij niet in het klaslokaal zat. Geen blik, geen vragen. Ze hadden het opgegeven. En Steppo begreep het: tot een bepaald, laag niveau konden ze het, met hun werkgroepen pesten, prestaties, therapie, vorderingen, wel aan. Werd het menens, dan trokken ze het niet meer. Dit was gewoon hun werk, ze wilden waarschijnlijk niet eens op school zijn. Maar ze waren ertoe gedwongen, net als de leerlingen.

Steppo zat alleen in de kantine. Er was risotto of zoiets, het viel moeilijk te bepalen, niet met je ogen en niet met je mond. Steppo zag Eva bij een paar meiden van de brugklas zitten. Er ging een schok door hem heen, er was iets gebeurd. Ze zaten drie tafels verderop te praten en te lachen.

Eva lachte!

En dat niet alleen. Ze had geen bril meer, haar haren waren geknipt en ze droeg zwarte kleren met gaten en ze was versierd met nagels en veiligheidsspelden.

Ze was mooi – nu kon iedereen het zien.

Steppo zocht haar blik, maar kreeg die niet.

Hij zat met lange tanden te eten en voelde zich vreemd, er droop zweet van zijn voorhoofd en hij voelde de zweetdruppels uit zijn oksels lopen. Het bord voor zijn neus leek naar opzij te glijden. De risotto lag niet stil. Hij hield niet van risotto, wat een krankzinnige naam ook voor een gerecht. Hij zat een hele tijd naar zijn bord te staren, concentreerde zich en kreeg het stil, daarna stond hij op en liep naar de bibliotheek. Daar was niemand. Hij haalde een paar boeken over de Tweede Wereldoorlog en gevechtsvliegtuigen uit de kast, streek op Eva's plek neer en probeerde te lezen. Maar hij kon de regels niet op hun plek houden, moest zijn vinger mee laten lopen. Er vielen druppels op het boek. Hij bleef zo zitten tot de bel weer ging.

In het wiskundelokaal was het veel te warm. Hij kreeg het gevoel dat zijn bloed begon te koken, maar de radiator was koud. Hoe kon dat, verdomme? De lucht in het lokaal was minstens tweehonderd graden. Hij moest naar buiten. Steppo stond op en verliet de les. De leraar zei niets.

Buiten was het ook warm, hij moest zijn jas uitdoen.

Steppo liep door Solna. Het waaide, en kleine, droge sneeuwvlokjes dwarrelden door de lucht. In Solna Centrum kocht hij een sandwich bij Hotdog-Ingvar, en toen liep hij verder naar de Eendenvijverstraat.

De kelderbox was helemaal leeg. De vloer was schoon en net geveegd, iemand had de box uiterst zorgvuldig leeggeruimd en schoongemaakt. Alle boxen in de gang hadden cijfers, van één tot twaalf, en elke box hoorde bij zijn eigen appartement. Van wie was nummer acht?

Steppo nam de lift naar de bovenste verdieping van de flat en belde aan, deur voor deur. Niemand deed open. Hij liep de trap af naar de volgende verdieping. Belde aan, en luisterde. Het gebouw was volkomen stil. Hij begon misselijk te worden, en in het trappenhuis tussen de zevende en de zesde verdieping kotste hij de sandwich uit.

Steppo veegde zijn mond af en ging verder.

Er woonden kennelijk alleen maar Zweden in deze flat. Op de brievenbussen stond P. Karlsson, L. Svenson, K. Lundberg, N. Larsson, A. Andersson.

Op de vierde verdieping hoorde hij geritsel achter een voordeur en een oud mannetje deed open.

'Wat mot je?'

Steppo was stomverbaasd dat iemand opendeed. Hij veegde het zweet van zijn voorhoofd en probeerde te achterhalen wat hij ook alweer wilde.

'Wil je iets aan me verkopen, dan kun je gaan.'

'Nee, ik heb een vraag over de boxen.'

'De boxen?'

'De kelderboxen. Van wie is nummer acht?'

'Weet ik veel,' zei de man. 'De mijne is opengebroken.'

En toen deed hij de deur dicht.

Op de derde verdieping begon een hond te blaffen, en een ouwe taart deed open, met het beest in haar armen. Het was een kleine hond met een strik op zijn kop, en het dier probeerde zich uit haar greep los te wurmen, wilde weg, naar buiten.

'Ach,' zei het mens. 'En wie ben jij?'

'Steppo, ik heet Steppo.'

'Zo kan niemand heten.'

'Stefan.'

'Dat is beter. En wat wil je?'

'De kelderboxen, wie heeft nummer acht?'

'Woon jij hier dan?'

'Nee, ik moet het gewoon weten. Het is belangrijk.'

Het mens keek hem achterdochtig aan en wilde de deur weer dichtdoen. Maar de hond wist zich uit haar armen los te wurmen en smeerde hem naar de trappen.

'Fio!' riep ze.

Steppo sprintte erachteraan en greep de hond. Hij gaf hem aan haar terug.

'Mooie hond,' zei Steppo.

'Ja,' zei de vrouw en ze wreef het dier langs haar gezicht.

Het likte over haar wang, en toen zei ze met een gemaakt babystemmetje:

'Je bent het mooiste van de hele wereld, is het niet?'

Ze keek de hond aan alsof ze verwachtte dat hij antwoord zou geven, maar hij jankte alleen maar.

'Toen ik klein was, wilde ik ook een hond,' zei Steppo. 'Maar ik kreeg een hamster. En die rende zich dood.'

Het mens keek hem aan.

'Wat wou je nou ook weer?'

'De kelderboxen. Wie in deze flat heeft nummer acht?'

'Ik heb nummer zeven,' zei ze. 'Maar er zijn inbraken geweest. Allemaal criminele allochtonen uit Hagalund. Vroeger, voordat die flats werden gebouwd, was het hier rustig, nu durf je bijna niet meer de straat op. Het is hopeloos.'

'Ja,' zei Steppo. 'Maar weet je van wie die box is?'

'Ze hebben dezelfde nummers als de appartementen. Acht moet die van Inga zijn geweest, die woonde hiernaast.'

'Is ze thuis?'

'Nee, ze is van de zomer gestorven. Het was de hitte. Ze kreeg een beroerte en ze hebben haar op het balkon gevonden. Ze had daar twee weken gelegen. Natuurlijk, ik had wel een paar keer aangebeld, maar ik dacht dat ze bij haar kleinkinderen was. Toen lag ze op het balkon, jakkes!'

'Wie woont daar nu?'

'Het appartement staat leeg, de huisbaas houdt het vast voor zijn zoon. Allemaal gesjoemel.'

'Maar iemand heeft de box ingepikt.'

'Echt waar? Ja, in deze flat doet iedereen maar waar die zin in heeft. Er is geen orde meer, nergens meer. Jan en alleman kan het wel gedaan hebben. Iemand heeft hem vast als extra box genomen.'

'Extra box?'

'Mensen verzamelen zo veel troep. Maar waarom wil je dat weten?'

Steppo aaide de hond.

'Dat kan ik niet uitleggen.'

'Je ziet er ziek uit.'

'Heb je misschien wat water? Ik heb zo'n dorst.'

Steppo stond in de lift naar beneden. Er suisde iets, nee, het was meer een hoge pieptoon, en hij wist niet of die van buitenaf kwam of in zijn hoofd zat. Eigenaardige gedachtes knipperden aan en uit. Het was iets met een extra box, iets wat hij wel wist maar waar hij niet opkwam. Hij probeerde door het gesuis te dringen en het te vinden, leunde met zijn hoofd tegen de spiegel in de lift en zocht in zijn hersens. Hij vond Håkan. Het had met Håkan te maken.

Buiten op straat wist hij het ineens: Håkan had een extra kast.

Het schoolplein was leeg. Alle leerlingen volgden hun lessen. Steppo hield de koevoet onder zijn jack en liep de school in. Hij nam de trap naar boven, naar de gang met de kasten van de brugklassers. Achter de deuren van de lokalen hoorde je een zacht gegons van stemmen, en zwak geschraap van stoelen en banken. Plotseling gelach, en even plotseling een gil. Steppo stopte. Ergens werd moeilijk gedaan over een muts die af moest. Er ging een deur open, er kwam een leerling uit het lokaal met de muts op zijn hoofd, hij slenterde de gang door en liep de trap af.

Welke kast was het nou ook weer? Steppo herinnerde zich dat die ergens onderaan zat. Misschien tussen het lokaal van maatschappijleer en dat waar ze gewoonlijk wiskunde hadden? Hij liet zijn hand over de kasten glijden, keek van het ene uiteinde van de gang naar het andere. Probeerde het zich te herinneren, probeerde een herkenningspunt te vinden. Het móést hier zijn. Hij zette de koevoet in de kier van een kastdeur en forceerde het slot. De kast floepte open met een zwak blikkerig geluid. Een rood jack, biologieboeken, een typische meidentas met stipjes. In de volgende kast lagen schoolboeken, een AIK-pet en een zaalbandystick.

Steppo keek op de klok die in de gang hing. Over tien minuten zou de bel gaan. Hij werkte zich door de rij kasten, snel en effectief. Eén blik was voldoende, en hup, naar de volgende. Schoolboeken en kleren. Schoolboeken en kleren. Schoolboeken en kleren.

Een bajonet.

Die lag op de bovenste plank, naast *Soldaat te velde*. Steppo trok alles eruit. Pornoblaadjes, sigaretten, een dikke gevoerde legerjas, een geslepen schroevendraaier. Condooms.

Steppo staakte zijn actie even. Waar zocht hij eigenlijk naar? Naar iets belangrijks, maar wat ook weer? Hij bukte zich en raapte *Soldaat te velde* op. Bladerde door het boek. Håkan had bepaalde zaken onderstreept en in de kantlijn van commentaar voorzien, grotendeels onleesbaar. Achter in het boek, op de binnenkant van de kaft stond: '5000 gekregen. Volgende keer probeer ik 10.000'.

Steppo stak het boek bij zich en wilde net weggaan toen zijn oog op de zak van de legerjas viel. Daar puilde iets uit. Hij stak zijn hand in de zak en viste er een camera uit, een wegwerpcamera. Draaide die om in zijn hand. Het rolletje van vierentwintig was bijna volgeschoten, op twee foto's na. De woorden borrelden op uit zijn geheugen. Håkans woorden, Håkans stem:

'Die is goud waard.'

Er klonken voetstappen in het trappenhuis en iemand kwam de gang in. De Cipier.

'Waar ben jij goddomme mee bezig?'

Steppo zette het op een rennen, spurtte recht op De Cipier af, de koevoet als een wapen voor zich uit. De Cipier drukte zichzelf tegen de muur en liet hem passeren.

'Ben je verdomme helemaal gek geworden?'

Steppo stormde de trappen af, struikelde, wankelde.

'Jij hoort in de dierentuin thuis!'

Hij gooide de koevoet in de struiken. Wás hij helemaal gek geworden? Er was iets goed fout. Hij voelde de grond onder zijn voeten niet terwijl hij liep. Het was alsof hij in de lucht stapte. Het voelde heel grappig en hij had de indruk dat hij helemaal niet vooruitkwam. Het duurde een eeuwigheid voor hij in Solna Centrum was. Dagen, weken, jaren.

Hij was kapot toen hij de fotoshop van Solna binnenstapte. Legde de camera op de toonbank.

De winkelbediende draaide en keerde het toestel.

'Er zitten nog twee foto's op, moet je die niet eerst schieten?'

'Nee.'

'Wil je de foto's binnen een uur, dan wordt het duurder.'

'Eén uur.'

Steppo ging in een lunchroom in Solna Centrum zitten wachten. Hij kocht een cola en een mergpijpje. Het werd een heel lang uur. Hij dronk zijn cola met kleine teugjes. Van het mergpijpje kon hij niet meer dan één hap op. Die groeide in zijn mond, leek een waanzinnig grote deeglap te worden die hem wilde wurgen. Hem van zijn leven wilde beroven. Moordenaarsdeeg! Hij spuwde de hap uit in zijn hand en liet de klomp onder zijn stoel vallen, keek om zich heen, het draaide hem voor de ogen. Hij had het idee dat hij kleurenblind werd, alles was grijs, zwart en wit.

Steppo probeerde te lezen in *Soldaat te velde*. Moest de tekst van heel dichtbij bekijken. Hij las al Håkans aantekeningen, alleen maar commentaren op strijdtechniek en zo. Alles ging daarover behalve de regel achterin, op de binnenkant van de kaft. Håkan had van iemand geld gekregen. Steppo herinnerde zich vaag dat Håkan op het feest van Åsa B. zoiets gezegd had. Iets van 'dat hij wist wie het was'.

De cola was precies genoeg voor één uur. In de laatste slok zat geen prik meer.

Steppo kreeg de foto's en betaalde. Hij bekeek ze direct. Er waren een paar foto's van Ronny met bier in zijn hand, buiten Råsunda. En wat scheve, halfdronken foto's van Åsa B.'s feest. Helen aan de goeie wijn en Dick op zijn luchtgitaar. Een foto van Charlie die pizza's bakte. Een van Gunnar met zijn pornoblaadje. En een vreemde foto van een vent op een roltrap, waarschijnlijk ergens in een metrostation. Steppo ging nog een keer door het stapeltje. Er was ook een foto van Tahsin. Ze was mooi. Hij keek er lang naar, maar voelde niets. Dat verbaasde hem. Er was een groepsfoto, die was op een andere planeet genomen. Charlie had hem gemaakt. Iedereen stond voor de flipperkast: Åsa B., Helen, Tahsin, Dick, Håkan en hijzelf. Dick speelde op zijn luchtgitaar, toen al. Håkan hield twee vingers achter Åsa B.'s hoofd omhoog, Helen stak haar dropzwarte tong uit en Tahsin lachte. De enige die niet blij keek op de foto, was hijzelf. Hij zag eruit alsof hij op een komeetinslag, een atoombom of een andere ramp stond te wachten. Maar áls hij, toen dat plaatje werd geschoten, al problemen had, stelden ze geen zak voor.

Steppo voelde in zijn borst een gat van gemis, een bodemloos gemis. Ze hadden het verrekte leuk gehad, samen. Maar dat had hij nooit begrepen en nu was het te laat, nu was het er niet meer, nu waren er alleen nog stomme kiekjes van de tijd waarin hij niet eens besefte hoe blij hij moest zijn, terwijl het bestaan toen je reinste paradijs was.

Steppo nam het stapeltje nog eens door. Kwam weer bij de man op de roltrap. Wat was dat nou voor stompzinnige foto? Steppo keek nog eens goed. Jee, het was Nisse-Lasse. Hij zag er net zo chagrijnig uit als Steppo op de foto's. Of eigenlijk meer verstijfd, van schrik. Waar zou die foto genomen zijn? Niet op station Solna, daar waren de muren groen en rood. Misschien op de Waterlelie? Nisse-Lasse had iets in zijn hand. Het was een... masker.

Een duivelsmasker.

35

Aan de nummertjes had hij vandaag geen boodschap, al zaten er mensen op hun beurt te wachten. Steppo's lichaam trilde hevig, hij had het steenkoud, het wás ook koud, maar hij zweette. Hoe kon je nou zweten als het zo verrrekte koud was? Achter de balie stond de chagrijnige, kaalhoofdige politie-agent.

'Je mag een nummer trekken en op je beurt wachten, zoals alle anderen.'

'Ik moet met Stål praten.'

'Dat komt wel goed. Pak een nummertje.'

'Ik weet wie het is,' zei Steppo. Hij had het gevoel dat, als hij de balie losliet, zijn benen het waarschijnlijk zouden begeven. Zo ziek had hij zich nog nooit gevoeld.

'Pak een nummertje.'

Steppo staarde de politieman wezenloos aan, verzamelde al zijn krachten en liep wankelend langs de balie, door de deur, de gang in.

'Stop, sta stil!'

De chagrijnige politieman spurtte achter hem aan, kreeg Steppo's jack te pakken en trok. Steppo zakte in elkaar en bleef liggen. De politieman sleepte hem over de grond terug.

'Je moet zoals alle anderen een nummer trekken.'

Stål keek uit het raam van zijn kantoor.

'Wat is er aan de hand?'

'Hij heeft geen nummertje getrokken.'

'Stomme idioot, laat hem los.'

'Ja, ja. Maar iedereen moet toch een nummertje hebben. Wat voor chaos zou het anders worden?'

'Donder op.'

Jan Åke Stål hielp Steppo overeind.

'Hoe gaat het met je?'

'Ik weet wie het is.'

'Wacht, we gaan eerst naar mijn kamer.'

Steppo ging in Ståls bezoekersstoel zitten, en Stål zette zich op de rand van zijn bureau.

'Wat weet je?'

'Je moet me eerst iets beloven.'

'Zal het proberen.'

'Zeg tegen Tony dat ík het heb geregeld. Dat ik het zo heb geregeld dat hij er niet voor hoeft op te draaien.'

'Dat je wát hebt geregeld?' vroeg Jan Åke Stål.

Steppo haalde Håkans foto tevoorschijn en legde die op tafel.

'Hier heb je hem, op de roltrap. Het masker zie je daar, in zijn hand. Dát is de duivel.'

Jan Åke Stål bekeek de foto van dichtbij.

'Die man moet niet moeilijk te vinden zijn.'

'Ik weet wie het is, waar hij woont, hoe hij heet. Maar je moet me beloven om met Tony te praten.'

'Komt voor elkaar,' zei Jan Åke Stål en hij drukte op een knop van de telefoon.

'Hé, Simonsson, kom even naar mijn kantoor, ja?'

Toen keek hij Steppo aan.

'Heb jij die foto genomen?'

'Nee, Håkan, die verdwenen is. Ik geloof dat hij de duivel geld afperste.'

'Oh, mijn hemel, stomme rotjongens ook. Hoe heet hij?'

'Het is onze leraar maatschappijleer. Nisse-Lasse. Eh, Nils

Larsson, en hij woont op de Eendenvijverstraat nummer elf.'

Stål schreef het op een papiertje. De politieman die Simonsson heette kwam binnen.

'We weten wie de duivel is, kijk maar naar de foto. Hij heeft het masker in zijn hand. Dat moet na het gebeuren in de Waterlelie zijn geweest. Hier heb je zijn naam en adres, reken hem in.'

'Is hij gevaarlijk?'

'Nauwelijks, maar neem Bengtsson mee.'

Steppo en Stål waren weer alleen. Stål trok zijn bureaula open en zette een bandrecorder op tafel.

'Vind je het goed dat ik het gesprek opneem?'

'Ja.'

Stål drukte de rec-knop in.

'Ik hoop dat je dit keer wel antwoord geeft, misschien kan dat ons helpen om Håkan te vinden.'

Steppo knikte, en Stål sprak de datum in en wie er verhoord werd, en begon:

'Hoe kwamen het masker en het slipje bij Tony terecht?'

'Ik heb ze gevonden bij een kelderinbraak op de Eendenvijverstraat. Maar dat wist ik zelf niet. Ze zaten in een kistje dat ik niet open kon krijgen.'

'Heb je nog meer kelderinbraken gepleegd?'

'Driehonderd misschien.'

Steppo voelde hoe zijn stoel heen en weer deinde, en hij leek wel op te stijgen. Zijn maag rispte op, hij veegde het zweet van zijn voorhoofd.

'Heb jij die inbraak in de school gepleegd? Tony had spullen die daarvandaan kwamen. Onder andere een kostbaar schilderij.'

'Nee, ik heb niet in de school ingebroken.'

'Zeker weten?'

'Ik ben er úítgebroken. Werd opgesloten, en het schilderij

was al weg. Alles stond op de Eendenvijverstraat.'
'Het feit dat je voor Tony inbraken pleegde, had dat te maken met zijn total loss gereden auto?'
'Ja, wij hadden die gestolen.'
'Wie reed er?'
'Håkan.'
'Oh nee hè!' zei Jan Åke Stål.
Hij leunde over de tafel en zette de bandrecorder uit.
'Driehonderd kelderinbraken?'
'Misschien wel meer,' zei Steppo.
'Wacht even, daar gaan we wat aan doen.'
Stål spoelde de band terug en wiste alles, toen keek hij Steppo aan.
'Eén kelderinbraak heb je gepleegd, dat is bewezen, daar kunnen we niet onderuit. Een verdraaid goeie kelderinbraak, mag ik wel zeggen. Als je de koevoet nog hebt, wil ik die graag als herinnering hebben.'
'Ik heb hem weggegooid.'
'En dan die autodiefstal, jij zat niet achter het stuur. Was het een dronkemansstunt?'
'Ja.'
Stål begon te schrijven.
'Jong, dronken en dom. We zullen zien wat de aanklager zegt. Je bent nog geen vijftien, toch?'
'Bijna.'
'Verder de inbraak in de school, die geen inbraak was. Je werd opgesloten en was bang, of niet?'
'Ja.'
Stål keek wat hij had opgeschreven nog eens door.
'Dit ziet er niet al te hopeloos uit, ik heb heel wat heftigers gezien van jongens die jonger waren dan jij. Bovendien werd je gedwongen, klopt?'
'Ja.'

'Er komt een onderzoek van ons en Bureau Jeugdzorg, en nog een verhoor hier of daar. We zullen zien. En ik bespreek dit wel met je moeder, zal mijn uiterste best doen.'

Stål keek Steppo aan.

'Hoe voel je je?'

'Goed.'

'Zeker weten?'

'Ja.'

Stål zette de bandrecorder weer aan.

'Dan gaan we het nu over Håkan hebben.'

Steppo kon zijn hoofd niet meer rechtop houden. Hij zakte voorover, klapte tegen het bureau en gleed op de vloer. Hij mompelde nog:

'Ik heb Dembo ook geslagen.'

Toen werd alles zwart.

36

Hij stond buiten, voor de grot en schreeuwde, maar hoorde zijn eigen stem niet. Hij vulde zijn longen, maar er kwam geen geluid uit. De wereld was stil. Hij keek het donker in. Daar gebeurde iets. Een lichte vlek fladderde zwak. De vlek groeide, werd groter en groter. Vloog op hem af.

Steppo werd wakker, alles was wit.

Langzaam werden de contouren van een raam zichtbaar. De decemberzon stond laag en scheen recht in zijn gezicht. Hij was in een lichte kamer. Hij keek om zich heen, zijn hoofd was zwaar en alles was wazig. Uit zijn ene arm liepen slangen die aan een standaard met een zak waren gekoppeld. Op zijn borst zaten snoeren vastgetapet die naar een apparaat met knipperende rode cijfers liepen. Er stonden nog twee bedden in de kamer, maar die waren leeg. Het rook sterk naar ontsmettingsmiddel. Hij lag in het ziekenhuis. Een verpleegster die de kamer binnenkwam, glimlachte. Ze had een adventskandelaar in haar hand.

'Ha! Je bent wakker. Hoe voel je je?'

Steppo probeerde antwoord te geven, maar het lukte niet. Hij knikte alleen maar, met zijn hoofd op het kussen.

'Je bent gauw weer beter,' zei ze terwijl ze de kandelaar in de vensterbank zette en de stekker in het stopcontact stak.

'Mooi voor vanavond, dan heb je toch een beetje kerst.'

Een man in een witte jas ging op de rand van het bed zitten. Steppo begreep dat hij de dokter was.

'Het is goed afgelopen. Maar je had eerder moeten komen, je hebt een zware infectie te pakken. Waarschijnlijk van de wond aan je been, die zag er niet fraai uit.'

'Een infectie,' herhaalde Steppo zwak.

'Bloedvergiftiging. Maar de bacterie heeft zich gelukkig niet op je hart genesteld. Je hebt antibiotica gekregen, breedspectrum, toen je het ziekenhuis in kwam. Zoiets doen we in een acute fase. Je buik gaat flink protesteren, maar dat is niet meer dan normaal. Als je naar de wc moet, druk je gewoon op deze knop, dan krijg je hulp met het infuus en alles. Dit is een alarmknop, maar die mag je ook gebruiken als je dorst hebt. We maken momenteel een kweek van je bacteriën om te kunnen bepalen welke we exact moeten bestrijden. Zodra we dat weten, krijg je ook exact de juiste antibiotica toegediend. Je zult gauw opknappen. '

Steppo knikte alsof hij het begreep.

De arts stapte op met de woorden:

'Gewoon op de knop drukken, dan krijg je hulp. Je kunt het snoer omlaag trekken, tot in je bed.'

Steppo staarde naar de knop die boven hem aan een dunne kabel hing. Het ding schommelde heen en weer, en plotseling stond zijn moeder aan het voeteneinde van zijn bed. Ze zag er rustig maar afgepeigerd uit.

'Hoi,' zei ze. 'Hoe gaat het met je? Voel je je oké? Word je...?'

Steppo knikte.

Ze ging op een stoel naast zijn bed zitten en er volgden een paar minuten van drukkende stilte. Ze zocht iets om te zeggen, dat kon je zien. Steppo keek naar haar gezicht. Dat had hij lang niet gedaan. Ze was oud geworden. Er was zoveel wat hij haar wilde zeggen, waarover hij wilde praten. Maar hij wist dat niets van wat er eigenlijk zou moeten worden gezegd, ook werkelijk zou worden gezegd. Waarom was dat zo? Er werden altijd alleen maar een hoop dingen gezegd die niet gezegd hoefden worden.

Wat moest zíj zeggen? Wat wilde híj zeggen? Hij kon het niet.

Ze deed haar mond open, aarzelde en sloot haar lippen weer. Ze keek hem aan met een merkwaardige blik waarin tegelijkertijd warmte school. Een fractie van een seconde kende hij haar niet terug, of misschien juist wel – was zíj dit? Ze leek op iemand die hij zich herinnerde van heel lang geleden.

'Het is aangekomen,' zei ze.

'Wat?' vroeg Steppo met een zachte, voorzichtige stem.

'Het kristal.'

Ze keken elkaar een paar seconden zwijgend aan, toen brak er bij haar een glimlach door die opborrelde tot een echte lach. Steppo glimlachte, tot meer was hij niet in staat.

'Ik heb het hier.' Ze hield het omhoog.

Het kristal bungelde vóór hen heen en weer, en ze zei:

'Nu ontbreekt er wel heel veel!'

Ze bleef zitten tot hij in slaap viel. Ze hadden elkaar niet vastgepakt. Maar ze zat er wel.

Toen Steppo weer wakker werd, was het buiten donker. De adventskandelaar lichtte op in de vensterbank. Zijn moeder was weg. Steppo trok de alarmknop op bed en sliep weer in, de knop lag in zijn hand.

37

De grotopening was nu een en al licht. Verblindend wit. Hij moest zijn blik afwenden, zijn hand voor zijn ogen houden. Je kon niets zien, het was net zo wit als het eerst zwart was geweest. Hij keek naar de grond om zich heen. De meeuw was weg.

Hij kon zijn voet optillen, zette een stap vooruit. De grond was zacht, maar niet zo zacht dat hij wegzonk, niet zo zacht dat hij vast kwam te zitten. Gewoon zacht en prettig. Nog een stap. Nog een. Nog een.

Hij liep naar binnen en zijn ogen wenden langzaam aan het licht.

'Hallo.'

Stilte. Hij keek om.

Leegte.

Er was niemand, alleen hijzelf. Maar de geur hing er nog.

Steppo werd wakker. Eva zat op de rand van zijn bed en hield zijn hand vast. Ze glimlachte en zei:

'Hoi.'

Ze legde een spel op zijn buik.

'Ik heb Ster van Afrika meegenomen. Ik heb mijn broertje in álle speelkaarten laten bijten, nu kun je niet meer zien welke kaart de ster is.'

Eva frummelde wat aan het spel en vouwde het speelbord uit op Steppo's buik. Ze stopte even en keek hem in zijn ogen.

Ze hielden elkaars blik vast. **Lang**. Stil. Hij voelde iets warms door zijn lichaam stromen, over zijn wangen stromen.

Er kwam een verpleegster binnen, ze rolde een van de lege bedden naar buiten.

'Je kunt nog niet spelen, hè?' zei Eva.

'Nee, nu niet.'

Jan Åke Stål kwam de kamer binnen. Hij had een tijdschrift over vissen in zijn hand en een doos chocolaatjes onder zijn arm. Hij stond even stil en keek naar hen.

'Zo zo, en ik maar denken dat jij hier eenzaam en angstig en zo lag te wezen.'

Eva keek Stål achterdochtig aan.

'Wie ben jij?'

'Ik ben politieagent,' zei Stål, en hij legde het tijdschrift en de doos chocolaatjes op het tafeltje naast Steppo's bed.

'Waarom?' vroeg Eva.

'Waarom ik politieman ben?'

Stål trok een grimas en dacht na.

'Dat weet ik niet. Ik heb het wel geweten, maar dat ben ik vergeten. Al is het vandaag toevallig best leuk.'

Toen richtte hij zich tot Steppo.

'Ik heb met de aanklager en Bureau Jeugdzorg gepraat. Ken daar een aardige dame. Heb uitgelegd hoe ik tegen alles aankijk, en je krijgt een toezichthouder.'

'Toezichthouder?' zei Eva. 'Wat heeft hij gedaan?'

Stål keek haar aan, en toen Steppo.

'Wat hij heeft gedaan... hm, aardig wat. Neem een chocolaatje. Er staat jullie zo een geweldige verrassing te wachten.'

Steppo wilde geen chocola, hij zat met zijn hoofd nog bij de toezichthouder. Dacht duizend gedachten, speelde intussen met de alarmknop en drukte die per ongeluk in. Op de gang klonk een piep, en het volgende moment stond er een verpleegster in de deur.

'Wat is er?'

'Niets,' zei Steppo.

'Dan moet je niet drukken.'

'Sorry,' zei Steppo.

'Toezichthouder?' herhaalde Eva.

Jan Åke Stål lachte.

'Hij mag mij met de boot helpen. Die moet voor de zomer klaar zijn zodat we kunnen vissen.'

'De boot?'

'Ik heb geregeld dat ik jouw toezichthouder word, dat was een fluitje van een cent. En jij krijgt alle rotklusjes. Je mag de twee-componentenlaag met die jeuk veroorzakende glasvezels polijsten tot je om genade smeekt! Dat wordt je straf omdat je niet alles meteen bent komen vertellen. Omdat je het zo nodig allemaal zelf moest oplossen.'

Steppo voelde een enorme opluchting, alsof er een op hol geslagen machine in zijn borstkas werd uitgezet.

Stål woelde door Steppo's haren en zei:

'Je bent moedig. Ik geloof dat je het goed hebt gedaan. Het was knap verkeerd, maar goed. Het leven is vrij zinloos als je dingen niet uitprobeert of durft. Geef je het op, dan verlies je alles. En dan...'

Er werd een ziekenhuisbed de kamer in gereden.

'Daar heb je hem!' riep Stål. 'Daar komt de verrassing!'

Er lag een magere jongen in het bed. Zijn gezicht was blauw opgezwollen, en allebei zijn armen zaten in het gips.

Steppo riep loeihard:

'Håkan!'

De ingepakte jongen knikte en zwaaide zwakjes met zijn vingers die uit het gips staken. Zijn hele gezicht leek wel één groot blauw oog. Eva herkende hem niet eens.

'Is dat echt Håkan?'

Steppo gleed uit bed, trok de snoeren die op zijn borst getapet zaten los, en schuifelde met infuusstandaard en al door de kamer naar het andere bed. Ja echt, het was Håkan! 'Waar heb je uitgehangen? Wat is er gebeurd? Ik dacht dat je dood was.'

Håkan glimlachte, al zijn voortanden waren eruit.

'Welke klojo heeft dat gedaan?'

Stål en Eva kwamen naast Steppo staan en keken naar Håkan.

'Wat ziet hij er vreselijk uit,' zei Eva. Håkan tuurde naar hen door de spleetjes van zijn gezwollen ogen.

'Ja,' zei Stål. 'Hij is vanochtend met een ambulancevliegtuig uit Frankrijk gekomen. Hij is aan zijn milt geopereerd.'

'Frankrijk?' Steppo ging op Håkans bed zitten. 'Wat deed hij daar, verdomme?'

'Wat we weten is dat hij heeft geprobeerd bij het Vreemdelingenlegioen in dienst te gaan. Hij heeft er bijna alle testen doorstaan. Sindsdien heeft hij in Kremlin-Bicêtre, een voorstad van Parijs, rondgedoold, en daar werd hij beroofd en mishandeld. Volgens de Franse politie door neonazi's.'

Eva ging aan de andere kant van Håkan zitten en voelde voorzichtig aan zijn wang. Håkan keek afwisselend naar Steppo en naar Eva. Hij probeerde waarschijnlijk 'hoi' te zeggen, maar wat eruit kwam was:

'Hu.'

'Hoi,' zei Steppo.

'Hoi,' zei Eva.

Håkan kreeg tranen in zijn ogen. Tenminste, de spleten in het dichtgemetselde gezicht glinsterden.

Eva stond op.

'Ik moet weg. Maar morgen kom ik weer langs, dan kunnen we het spel spelen.'

'Je kunt wel een lift van me krijgen,' zei Stål. 'Waar moet je naartoe?'

Stål en Eva vertrokken.

Steppo bleef op Håkans bed zitten, keek naar het zwaar ge-havende gezicht en voelde zich plotseling een stuk gezonder.

Håkan wenkte hem dichterbij met zijn vingers die uit het gips staken en lispelde tandeloos en zwak:

'Het legioen wilde me niet.'

'Wees daar maar blij mee.'

'Ik ben kleurenblind.'

'We dachten dat je dood was.'

Håkans blik dwaalde naar de deur. Steppo draaide zijn hoofd ook die kant op, maar er stond niemand.

'Ja, ze is wel mooi,' zei Håkan.

'Wie?'

'Eva.'

'Ja, Eva is mooi. Maar jij bent verdomd lelijk!'